Version 2.0

유전성 유방암
유전상담 매뉴얼

Hereditary Breast Cancer
Genetic Counseling Manual

한국유방암학회

한국인 유전성 유방암 연구회

유전성 유방암 유전상담 매뉴얼 2판

첫째판 1쇄 발행 | 2012년 04월 16일
둘째판 1쇄 인쇄 | 2021년 08월 13일
둘째판 1쇄 발행 | 2021년 08월 25일

지 은 이 한국유방암학회, 한국인 유전성 유방암 연구회
발 행 인 장주연
출 판 기 획 조형석
편집디자인 양은정
표지디자인 김재욱
일 러 스 트 김경렬
발 행 처 군자출판사(주)
　　　　　등록 제4-139호.(1991. 6. 24)
　　　　　본사 (10881) 파주출판단지 경기도 파주시 회동길 338(서패동 474-1)
　　　　　전화 (031) 943-1888　팩스 (031) 955-9545
　　　　　홈페이지 | www.koonja.co.kr

ISBN 979-11-5955-743-9

정가 20,000원

저자

김성원　　대림성모병원 외과 유방센터

유재민　　성균관대학교 삼성서울병원 외과

한상아　　경희대학교 의과대학 강동경희대병원 외과

강은영　　서울대학교 의과대학 분당서울대학교병원 외과

김동원　　대림성모병원 외과 유방센터

김지영　　대림성모병원 외과 유방센터

이봄이　　대림성모병원 유방센터

이민혁　　순천향대학교 의과대학 순천향대학교 서울병원 외과

박수경　　서울대학교 의과대학 예방의학교실

이지현　　순천향대학교 의과대학 순천향대학교 서울병원 외과

김지선　　순천향대학교 의과대학 순천향대학교 서울병원 외과

안세현　　울산대학교 의과대학 서울아산병원 외과

한국유방암학회

*적절한 교육을 받지 않은 자가 이 매뉴얼만으로 유전상담을 실시하는 것은 예상하지 못한 여러 가지 문제를 낳을 수 있습니다. 유전상담에 대한 충분한 교육을 받으신 후 이 매뉴얼을 상담에 이용하시기를 권고합니다.

　여성에서 가장 많이 발생하는 유방암은 여러 가지 원인에 기인하지만 그 중 유전적 원인은 환자뿐 아니라 가족에게도 의미가 큰 중요한 인자입니다. 최근 과학의 발전과 더불어 유방암의 유전적 원인들도 하나 둘씩 밝혀지고 있으며, 이는 환자에 대한 맞춤 치료를 가능하게 하고 있습니다. 한국인 유전성 유방암 연구(KOHBRA Study)는 2007년 시작 후, 현재까지 70편이 넘는 새로운 후속 연구 성과를 내오고 있습니다. 그간 서구의 연구결과를 한국인 유전성 유방암의 임상 진료에 적용할 수밖에 없는 한계를 조금씩 줄이며 국내 결과를 임상지침에 반영하고자 노력하고 있습니다.

　이 같이 유전적 원인을 밝히고자 하는 노력은 유방암 환자의 치료의 측면뿐 아니라, 암이 발생할 위험이 높은 유전자변이를 가진 보인자를 찾아내고 이들과 가족의 잠재적 위험을 낮춘다는 점에서 매우 중요한 과정입니다. 하지만, 이러한 노력이 늘 긍정적인 측면만 존재하는 것은 아니어서, 유전성 유방암에 대한 이해와 검사에 대한 정확한 정보 전달, 이에 따른 위험과 이득을 적절히 설명하는 과정은 유전자검사에서 매우 중요합니다.

　이처럼 유전상담은 유전자검사의 필수적인 요소로 유전적 요인과 질병과의 연관성 안에서 의학적, 심리적 그리고 가족 관계를 이해하고 적응하도록 돕는 과정입니다. 이 매뉴얼은 유전성 유방암 고위험군 환자 또는 가족을 진료하고 상담하는 데 있어 조금이라도 보탬이 되고자 2012년 3월, 처음 제작되었으며, 한국유방암학회 유전성 유방암 연구회에서는 유전성 유방암 심포지엄과 워크샵을 통해서 교재로 활용하여 유전성 유방암 유전상담 인증교육을 실시하고 있습니다.

한편, 차세대염기서열분석(next generation sequencing) 기술은 2004년 이후 발전을 거듭하여 최근 3세대 염기서열분석 장비의 상용화도 바라볼 만큼 임상 영역으로 빠르게 흡수되면서 의학유전학과 유전성 유방암 연구의 발전 또한 확대되었습니다. 이로 인해 암 진단뿐만 아니라 희귀 유전질환 등 '진단방랑(diagnostic odyssey)'으로 고통받던 환자들에게 보다 빠르고 정확한 진단이 가능하게 되었습니다. 그러나 급진적인 임상 유전학의 발전은 그 총체적인 기술과 지식이 보편화되는 속도의 차이로 인하여 진단 결과에 대한 적절한 임상 해석이 환자나 일반인들에게 충분히 닿지 못해 환자들은 다시 '유전자검사 후 여정(post-genetic testing journey)'을 하게 되는 부작용도 낳고 있습니다.

부디 이 매뉴얼을 통하여 의료진, 유전상담사와 내담자 모두에게 도움이 되기를 기대하며 한국인 유전성 유방암 연구와 함께 해 주시는 한국유방암학회 연구자 및 연구에 참여한 환자분들께 깊은 감사의 마음을 전합니다.

2021. 7. 30.
한국유방암학회
한국인 유전성 유방암 연구회

목차

Ⅰ 총론

1. 유전상담의 과정과 심리적 측면 • 10
2. 과거력 및 가족력 청취 • 14
3. 가계도 작성 • 16
4. 유전자변이 위험도 예측 • 20
5. 유전자검사의 윤리적 문제 • 21
6. 유전학 용어 정리 • 26

Ⅱ 검사 전 상담(Pre-test counseling)과 동의서 작성

1. 유방암의 위험요인과 유전성 유방암 • 29
2. *BRCA1/2* 유전자와 유전 양식 • 33
3. 유전자검사 • 41
4. 유전자검사의 결과와 의미 • 48
5. 유전자검사의 중요성 • 64

Ⅲ 검사 후 상담(Post-test counseling)과 향후 치료의 선택

    1. *BRCA* 유전자와 유전성 유방암 • **78**

    2. *BRCA* 유전자검사 양성 결과 • **82**

        1) 여성 보인자를 위한 안내 • **83**

        2) 남성 보인자를 위한 안내 • **104**

    3. *BRCA* 유전자검사 음성결과와 미분류 변이 • **111**

Ⅳ 참고자료

    <별첨 1> 가계도 작성 설문지 예시 • **120**

    <별첨 2> 가계도 작성과 위험도 측정 예제 • **123**

Ⅴ 참고문헌 • 127

I

총론

1. 유전상담의 과정과 심리적 측면
2. 과거력 및 가족력 청취
3. 가계도 작성
4. 유전자변이 위험도 예측
5. 유전자검사의 윤리적 문제
6. 유전학 용어 정리

유전상담의 과정과 심리적 측면

①

유전상담의 목적은 유전적, 생물학적, 환경적 요인과 암 발생, 질병의 위험 관계를 설명하고 본인의 유전적 정보의 의미를 파악하게 하며 유전자검사나 암 선별검사, 암 예방 등에 대해 적절히 알고 결정할 수 있도록 하는 것이다. 이러한 정보들을 환자의 연령이나 교육 정도, 위험요인에 대한 노출력, 위험 정도, 사회적 환경 등에 맞추어 설명하는 것이 좋다.

먼저 개인의 **과거력과 환자의 가족력을 청취**하여 **가계도를 작성**하고, 환자의 암 **위험도**와 **유전자변이 가능성**을 예측 모델을 이용하여 측정한다. 유전자검사 의 적응증에 해당되면 **검사 전 상담**을 하여 충분한 정보를 얻은 후에 검사할 수 있도록 하며, 검사 결과가 나온 후에는 결과에 맞추어 **검사 후 상담**을 한다. 필요한 경우 **가족검사**를 권유한다.

검사 전 상담은 유전자검사 동의서 획득의 원칙에 기초한다. 검사가 필요한 이유, 검사하고자 하는 특정 유전자 정보, 양성 및 음성 결과의 해석, 유전자검 사에서 어떠한 정보도 얻지 못할 가능성, 자녀에게 유전자변이가 유전될 가능성, 검사 기법의 정확성, 유전자검사와 유전상담 비용, 검사 결과에 따른 사회 심리학적 영향, 유전자 연구에 DNA 검체가 사용될 가능성, 선택 가능한 암 발생 감시와 예방적 중재술의 종류와 한계, 가족과의 유전자검사 결과 공유의 중요성 등에 대하여 설명한다. 검사 후 상담에서는 결과의 전달과 해석, 검사 결과가 개인의 건강에 미치는 영향, 개인의 사회심리학적 측면에 미치는 영향, 향후 의학적 관리, 가족의 유전자변이 보유 가능성과 암 발병 위험도, 가족에 게 검사 결과와 질병에 대한 정보를 알리는 것의 중요성에 대해서 설명한다.

유전상담과 암 발병 위험도 측정은 다양한 심리사회적 문제를 야기시킬 수 있다. 내담자(counselee)는 본인의 암 위험도에 관해 고민하게 되고, 어려운 결정을 내려야 하며, 직업선택과 건강보험 가입 등에서 차별에 대한 우려와 가족들의 유전자변이 보유 가능성과 암 발병에 대해 걱정하게 된다. 따라서 유전성 유방/난소암에 대한 유전상담을 할때는 유전적 지식이 개인과 가족에 미칠 영향을 고려해야 한다. 유전상담사는 소통과 상담에 능통하여야 하며, 심리사회적 평가와 위기 개입 능력이 필요하다.

따라서, 심리사회적 문제에 대해 환자에게 도움을 주기 위해서는 유전성 질환의 지식뿐만 아니라 심리학, 정신종양학의 지식 습득도 필요하다.

위험도를 정확히 숫자로 제시하더라도 내담자는 개별적인 감정반응, 이전의 암 치료 경험에 따라 위험도를 더 크게 혹은 더 적게 인식할 수도 있다. 이러한 인자들이 앞으로의 암 검진과 유전상담, 유전자검사, 진료에 영향을 미친다. 내담자의 심리적 상태, 사회경제상태, 인종, 교육, 종교 등을 파악하는 것은 유전상담 시 내담자가 어떠한 반응을 보이고 어떻게 이해할 것인가를 예측하는 데 도움이 될 수 있다. 유전상담사는 전체적인 심리분석을 하거나 심리상담을 하기에 적합하지 않으므로, 필요할 경우 정신건강의학과에 협진을 요청한다. 유전상담 중 상담자는 아래와 같이 체계적인 판단을 하여 필요한 경우 심리 치료를 요청할 수 있다.

1) 최근의 감정상태(Current emotional well-being)
암의 위험이 증가한다는 사실을 알게 되는 것이 개인의 삶의 여러 면에 영향을 미친다. 최근의 식사, 수면, 전반적인 감정상태에 대한 질문으로 우울이나 불안의 조짐을 평가한다. 내담자의 심리상태나 불안을 평가하기 위해 여러 선별도구가 사용될 수 있다.

2) 정신건강상태(Mental health history)
정신적인 문제를 가지고 있는 내담자는 더욱더 유전자검사 결과에 영향을 받기 쉬우며, 특히 양성인 경우 암 위험을 확신하게 된다. 내담자의 정신 건강에 대한 직접적 질문과 이전의 치료 경력을 종합하는 것이 중요하다. 이러한 질문이 상담 개입의 필요성을 판정하는 데 도움이 된다.

3) 암 가족력에 대한 감정반응(Emotional response to family history of cancer)

암 가족력에 관하여 유전적 영향뿐만 아니라 심리적 영향 또한 이해하는 것이 중요하다. 가족 구성원의 질병으로 인한 영향과 그로 인한 암 위험에 관해 내담자가 어떻게 받아들이는지에 대해 질문하는 것이 필요하다.

4) 대응태도(Coping strategies)

내담자는 암 발병 위험도 증가에 대응하기 위하여 여러 가지 반응을 취할 수 있다. 이러한 대응태도를 잘 이해하기 위해서는 어떻게 가족의 암에 대해 대응하는지 질문하고, 상담시간 중 내담자를 잘 관찰하여야 한다.

5) 상담 중의 반응(Reactions/Responses during the counseling session)

유전성 유방/난소암 유전상담은 일반적으로 암 가족력과 암 위험도, 유전자 변이 위험도에 대한 내용으로 이루어지게 된다. 이러한 논의들이 불쾌한 감정 반응을 일으킬 수 있으므로, 상담자는 내담자의 반응을 지속적으로 관찰하고 상담의 내용을 조절해야 한다.

또한, 검사 전 상담에서는 환자의 심리적, 감정적 반응을 이해하기 위해 심리적 장애요소(barrier)를 파악해야 한다. 질병이 없는 내담자의 양성 결과에 대한 두려움, 자녀에게 변이를 물려주는 것에 대한 죄의식, 살아남은 자의 죄의식(survivor guilt), 차별/낙인에 대한 불안, 양성 결과일 경우 해야 하는 의학적 판단에 대한 회피 등이 그것이다. 또한 내담자에게 유전자검사에 대한 이득을 어떻게 이해하고 있는지, 유전자검사에 대한 동기 부여에 관한 질문도 필요하다. 이러한 과정을 통하여 모르는 것에 대한 불안을 해소할 수 있고 의학적 관리에 집중하게 하며, 다른 가계 구성원들을 교육할 수 있게 해준다. 다음의 질문을 통해 검사에 관련된 심리적 요소들을 파악할 수 있다.

- 앞으로의 유방암/난소암의 위험에 대해서 알기를 원하십니까? 알게 된다면 어떻게 될 것 같습니까?

- 유전자변이가 발견되어서 암 발병 위험이 일반인보다 높다는 사실을 알았을 때 어떻게 대처할 생각입니까?

- 검진을 더 자주 받는다거나 예방적 수술에 대해 생각하고 있습니까?

- 유전자변이가 있는 것으로 밝혀진다면, 그 정보를 가족에게 말하는 것에 대해서 어떻게 생각합니까?

- 유전자검사를 지금 하기 원하십니까? 아니면 나중에 하길 원하십니까?

유전성 암 가능성을 판정하기 위해서는 정확한 과거력과 가족력의 청취가 필요하다.

이러한 정보는 가계도 작성 설문지 예시 <별첨 1>을 통해서 얻을 수 있다. 과거력과 가족력 수집 시 주의할 점은 다음과 같다.

1) 암에 영향을 미칠 수 있는 생식적 인자와 환경 노출을 확인한다. 또한, 이전의 유방 조직 검사에서 비정형 관증식증(atypical ductal hyperplasia, ADH)이나 소엽성상피내암(lobular carcinoma in situ, LCIS)과 같은 소견은 유방암의 위험 인자이며, 주의 깊은 관찰이 필요하다.

2) 유방암과 난소암의 위험을 크게 낮추는 수술력이 있다면 암의 유전형태가 왜곡될 수 있으므로 가족력 확인 시에 정확히 기술되어야 한다. 본인과 가족의 난소난관절제술, 유방절제술에 관한 수술력을 질문해야 한다. 다른 이유로 젊은 나이에 사망한 경우 예상한 경우보다 가계 내 암 발생이 낮게 산정될 수 있다. 가족의 수가 적을 경우, 위험도가 있는 성별의 수가 적은 경우, 침투도가 감소된 경우, 발병 연령에 도달하지 못하고 일찍 사망한 경우, 예방적 수술을 받은 경우, 입양, 부정확한 정보 등이 있는 경우, 유전자변이 가능성과 암 발병 위험도에 대한 정보를 얻기 어려운 경우가 많다.

3) 정확한 위험도 측정을 위해 가능하다면 의무기록 확인이 필요하다. 모든 의무기록을 참조하기란 현실적으로 어려우므로, 유전상담을 받는 내담자가 제공하는 정보에 의해서만 위험도를 측정할 경우 제공한 정보가 정확하지 않다면 그 내용이 크게 바뀔 수도 있다는 사실을 이해시켜야 한다. 연구에 따

르면 유방암의 가족력에 대한 정보는 대개는 정확하나 난소암은 왜곡되는 경우가 더 많다고 한다. 위험도 측정이 특정 가족 구성원에 한정되어 있다면 의무 기록을 조사해야 한다. 예를 들면, 난소암의 존재 유무가 *BRCA1/2* 변이의 가능성에 영향을 미칠 경우에 그러하다. 또한 가까운 가족이 복부 암이나 여성 암이라면 정확한 위치 확인이 필요하다.

3 가계도 작성

1) 여성은 원형, 남성은 사각형으로, 성을 알 수 없는 경우 마름모형으로 표기
2) 질환에 걸린 사람은 색이 칠해진 기호로 표기
3) 결혼한 경우 남성과 여성 기호에 연결된 수평선으로 표기
4) 자녀는 부모 기호 밑에 좌에서 우로 태어난 순서에 따라 표기하며 순서대로 번호를 붙인다.
5) 세대는 위에서 아래로 좌측에 로마숫자로 표기(I, II, III 등)
6) 사망한 경우 기호에 사선으로 표기
7) 기타 참고사항은 기호 아래에 표기
8) 발단자(proband)는 화살표로 표시
9) 가계도 작성 날짜와 작성자 이름을 기록해 둔다.
10) 가족 등친의 범위
   A. 1등친(1st degree relative): 부모, 형제자매, 자녀
   B. 2등친(2nd degree relative): 조부모, 부모의 형제자매, 조카, 손주, 이복형제
   C. 3등친(3rd degree relative): 증조부모, 증손주, 조부모의 형제자매, 사촌
   D. 4등친(4th degree relative): 오촌(사촌의 자녀, 부모의 사촌)

가계도 모식도(도형 내 숫자는 등친 범위를 나타냄)

가족의 1, 2, 3, 4등친 범위

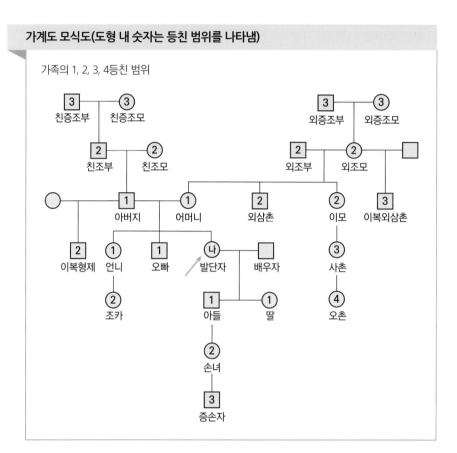

가계도 작성 software

https://pedigree.progenygenetics.com/
https://www.smartdraw.com/

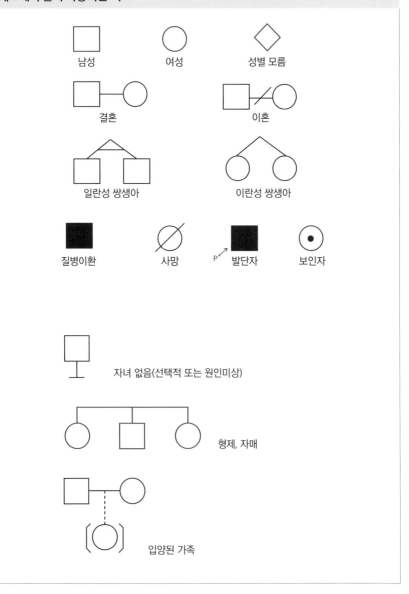

남성

여성

성별 모름

결혼

이혼

일란성 쌍생아

이란성 쌍생아

질병이환

사망

발단자

보인자

자녀 없음(선택적 또는 원인미상)

형제, 자매

입양된 가족

한국인 유전성 유방암 연구회에서 사용하는 기호

비보인자

보인자

우측 유방암

좌측 유방암

난소암

기타 암

4 유전자변이 위험도 예측

유전자검사는 비용이 많이 들고 다양한 사회심리적 문제를 야기할 수 있기 때문에 유전자검사가 필요한 적합한 대상자를 선정하는 것이 중요하다. 유전자변이 가능성을 가시화하기 위해 예측 모델이 개발되었으며, BRCAPRO (https://projects.iq.harvard.edu/bayesmendel/our-software), CanRisk (BOADICEA의 v.5), Tyrer-Cuzic model (Ikonopedia IBIS: Online Tyrer-Cuzick Model Breast Cancer Risk Evaluation Tool), Myriad II (*BRCA* Calculator (myriad.com)) 등이 있다. 이들 모델 중 하나라도 변이 보유 확률이 10% 이상 예측되는 경우 유전자검사를 권유하게 된다. 주의할 점은 이들 모델이 유방암 환자에서 앞으로의 암 발생 가능성을 예측해 주지 않는다는 점이다. 환자나 내담자가 유전자변이의 가능성 확률을 유방암 위험도와 혼동하지 않도록 구분하여 설명하는 것이 중요하다. 서양의 모델을 한국인에 적용하였을 때 실제 관찰치보다 예측치가 저평가되는 경향이 있어 서양의 모델의 이용은 조심스럽게 판단해야 하며, 현재는 한국형 유전자변이 예측 모델 KOHBRA *BRCA* prediction model (KOHCal)이 개발되어 이용할 수 있다(www.kohbra.kr).

BRCA1/2 변이 예측 모델과 유방암 예측 모델 등으로 위험도를 측정하고 이를 수치로 제시할 수도 있고, 일반인에 비해 높다/낮다 등의 형태로 제시할 수도 있다. 같은 설명도 개인의 특성에 따라 다르게 받아들일 수 있기 때문에 내담자가 잘 이해하고 있는지 확인해야 하며, 때에 따라서는 다른 방식으로 설명할 필요가 있다.

위험도를 특정 숫자로 지칭하는 것보다는 범위를 그림으로 표시하거나 일반 인구와 비교하는 것이 유용할 수 있으며, 적절한 추적관리가 위험을 감소시킬 수 있다는 점을 강조하는 것이 필요하다. 자세한 가계도 작성 요령과 위험도 측정 방법은 <별첨 2>에 소개하였다.

5 유전자검사의 윤리적 문제

　모든 유전자검사가 그러하듯 유전성 유방/난소암 검사는 가족과 사회 안에서 윤리적/법적 문제의 소지를 가지고 있다. 예를 들어 성인기에 발병하는 유전질환에 대하여 소아 또는 산전 시기에 유전자검사를 시행하는 것에 대한 우려나 병인성 유전자변이가 있는 보인자의 경우 교육 및 고용의 기회, 건강보험 가입 등 사회적 차별 받을 것에 대한 두려움을 가질 수 있다. 유전상담 시 발생할 수 있는 모든 사안을 포함하기는 현실적으로 어렵지만 유전자검사는 자율성(autonomy), 사생활보호(privacy), 기밀유지(confidentiality), 공평성(equity), 네 가지 원칙에 따른다.

1) 자율성(Autonomy)

유전자검사에 앞서 모든 검사대상자들이 전문 정보를 충분히 제공받은 후에 강제성이 없는 상태에서 결정하는 것을 말한다. 유전성 유방/난소암 증후군은 상염색체 우성 유전이며 성인기에 발생하는 질환이므로 유전자검사를 자율적으로 시행하는 데 있어서 큰 윤리적 문제는 없다. 그러나 발단자의 유전자검사로 유전자변이가 발견된 가계인 경우, 만 19세 미만의 미성년 자녀는 성인이 된 이후에 정보의 제공 및 검사를 스스로 결정할 수 있게 한다. 증상의 유무와 상관없이 성인인 가족에게 검사를 권유하는 것은 가능하다. 이때 가족 구성원들이 유전자검사를 고려할 때는 전문가로부터 적절한 정보를 제공받고 검사의 이득과 위험, 한계에 대하여 충분한 상담을 받은 후 자율적으로 결정하여야 한다.

2) 사생활보호(Privacy)

사생활보호의 원칙은 유전자검사 전 검사대상자가 충분한 정보를 바탕으로 자율적으로 검사를 결정하는 단계부터 시작되며 유전자검사와 관련한 모든 개인정보에 대하여 제3자의 접근 권한을 제한하는 것을 말한다. 즉, 공식적, 비공식적 정보의 유출을 모두 포함하며 이로 인해 발생할 수 있는 검사대상자의 고충을 사전에 방지하여야 한다.

3) 기밀유지(Confidentiality)

유전자검사와 관련한 정보는 민감한 내용을 포함하므로 검사대상자가 허용하는 범위 안에서 제어되어야 한다. 즉, 가족을 포함하여 공유 대상의 범위와 공유할 내용의 공개 여부 및 공개의 범위 등의 사항이 결정되어야 한다. 이는 윤리적, 사회적, 법적으로 문제의 소지가 없어야 하며 특히, 가족이 같은 의료기관에서 진료를 받는 경우 더욱 유의하여야 한다.

4) 공평성(Equity)

정의나 공평성의 문제는 모든 검사대상자들에게 여러 측면의 공정한 기회나 평등이 주어지지 않는다는 의미로 유전자검사 과정과 관련한 모든 관행 및 정책 등에서 발생할 수 있다. 비용 부담 능력의 차이나 지역적으로 접근의 어려움 등으로 유전자검사를 제공받지 못하는 문제, 유전질환이 있는 사람이 사회적으로 교육, 고용, 보험 가입 등의 기회를 직·간접적으로 상실할 수 있는 유전적 차별의 문제, 유전질환이 있는 사람에 대한 개인적 또는 사회적으로 동정심을 바탕으로 한 태도의 문제 등을 포함한다. 이는 국가와 사회적 차원에서 개인의 필요, 사회적 가치 또는 재정 능력의 차이에 따라 의료와 같은 사회적 자원을 어떻게 분배할지 여부가 지속적으로 논의되고 결정되어야 할 것이다.

생명윤리 및 안전에 관한 법률(약칭: 생명윤리법)
[시행 2020. 9. 12.] [법률 제17472호]

제46조(유전정보에 의한 차별 금지 등)

① 누구든지 유전정보를 이유로 교육·고용·승진·보험 등 사회활동에서 다른 사람을 차별하여서는 아니 된다.

② 다른 법률에 특별한 규정이 있는 경우를 제외하고는 누구든지 타인에게 유전자검사를 받도록 강요하거나 유전자검사의 결과를 제출하도록 강요하여서는 아니 된다.

③ 의료기관은 「의료법」 제21조제3항에 따라 환자 외의 자에게 제공하는 의무기록 및 진료기록 등에 유전정보를 포함시켜서는 아니 된다. 다만, 해당 환자와 동일한 질병의 진단 및 치료를 목적으로 다른 의료기관의 요청이 있고 개인정보 보호에 관한 조치를 한 경우에는 그러하지 아니하다.<개정 2016. 12. 20.>

제49조(유전자검사기관)

① 유전자검사를 하려는 자는 유전자검사항목에 따라 보건복지부령으로 정하는 시설 및 인력 등을 갖추고 보건복지부장관에게 신고하여야 한다. 다만, 국가기관이 유전자검사를 하는 경우에는 그러하지 아니하다.

② 제1항에 따라 신고한 사항 중 대통령령으로 정하는 중요한 사항을 변경하는 경우에도 신고하여야 한다.

③ 보건복지부장관은 제1항에 따라 신고한 유전자검사기관(이하 "유전자검사기관"이라 한다)으로 하여금 보건복지부령으로 정하는 바에 따라 유전자검사의 정확도 평가를 받게 할 수 있고, 그 결과를 공개할 수 있다.

④ 유전자검사기관은 유전자검사의 업무를 휴업하거나 폐업하려는 경우에는 보건복지부령으로 정하는 바에 따라 보건복지부장관에게 신고하여야 한다.

⑤ 보건복지부장관은 유전자검사기관이 「부가가치세법」 제8조에 따라 관할 세무서장에게 폐업신고를 하거나 관할 세무서장이 사업자등록을 말소한 경우에는 신고 사항을 직권으로 말소할 수 있다.<개정 2017. 12. 12.>

⑥ 보건복지부장관은 제5항의 직권말소를 위하여 필요한 경우 관할 세무서장에게 유전자검사기관의 폐업여부에 대한 정보 제공을 요청할 수 있다. 이 경우 요청을 받은 관할 세무서장은 「전자정부법」 제36조제1항에 따라 유전자검사기관의 폐업여부에 대한 정보를 제공하여야 한다.<신설 2017. 12. 12.>

제50조(유전자검사의 제한 등)

① 유전자검사기관은 과학적 증명이 불확실하여 검사대상자를 오도(誤導)할 우려가 있는 신체 외관이나 성격에 관한 유전자검사 또는 그 밖에 국가위원회의 심의를 거쳐 대통령령으로 정하는 유전자검사를 하여서는 아니 된다.

② 유전자검사기관은 근이영양증이나 그 밖에 대통령령으로 정하는 유전질환을 진단하기 위한 목적으로만 배아 또는 태아를 대상으로 유전자검사를 할 수 있다.

③ 의료기관이 아닌 유전자검사기관에서는 다음 각 호를 제외한 경우에는 질병의 예방, 진단 및 치료와 관련한 유전자검사를 할 수 없다.<개정 2015. 12. 29.>

　1. 의료기관의 의뢰를 받은 경우
　2. 질병의 예방과 관련된 유전자검사로 보건복지부장관이 필요하다고 인정하는 경우

④ 유전자검사기관은 유전자검사에 관하여 거짓표시 또는 과대광고를 하여서는 아니 된다. 이 경우 거짓표시 또는 과대광고의 판정 기준 및 절차, 그 밖에 필요한 사항은 보건복지부령으로 정한다.

제51조(유전자검사의 동의)

① 유전자검사기관이 유전자검사에 쓰일 검사대상물을 직접 채취하거나 채취를 의뢰할 때에는 검사대상물을 채취하기 전에 검사대상자로부터 다음 각 호의 사항에 대하여 서면 동의를 받아야 한다. 다만, 장애인의 경우는 그 특성에 맞게 동의를 구하여야 한다.

　1. 유전자검사의 목적
　2. 검사대상물의 관리에 관한 사항
　3. 동의의 철회, 검사대상자의 권리 및 정보보호, 그 밖에 보건복지부령으로 정하는 사항

② 유전자검사기관이 검사대상물을 인체유래물연구자나 인체유래물은행에 제공하기 위하여는 검사대상자로부터 다음 각 호의 사항이 포함된 서면동의를 제1항에 따른 동의와 별도로 받아야 한다.

　1. 개인정보의 보호 및 처리에 대한 사항
　2. 검사대상물의 보존, 관리 및 폐기에 관한 사항
　3. 검사대상물의 제공에 관한 사항
　4. 동의의 철회, 동의 철회 시 검사대상물의 처리, 검사대상자의 권리, 그 밖에 보건복지부령으로 정하는 사항

③ 유전자검사기관 외의 자가 검사대상물을 채취하여 유전자검사기관에 유전자검사를 의뢰하는 경우에는 제1항에 따라 검사대상자로부터 서면동의를 받아 첨부하여야 하며, 보건복지부령으로 정하는 바에 따라 개인정보를 보호하기 위한 조치를 하여야 한다.

④ 검사대상자가 동의 능력이 없거나 불완전한 경우의 대리인 동의에 관하여는 제16조 제2항을 준용한다. 이 경우 "연구대상자"는 "검사대상자"로, "연구"는 "검사"로 각각 본다.

⑤ 다음 각 호의 어느 하나에 해당하는 경우에는 동의 없이 유전자검사를 할 수 있다.

1. 시체 또는 의식불명인 사람이 누구인지 식별하여야 할 긴급한 필요가 있거나 특별한 사유가 있는 경우
2. 다른 법률에 규정이 있는 경우

⑥ 제1항부터 제4항까지의 규정에 따라 서면동의를 받고자 하는 자는 미리 검사대상자 또는 법정대리인에게 유전자검사의 목적과 방법, 예측되는 유전자검사의 결과와 의미 등에 대하여 충분히 설명하여야 한다.

⑦ 유전자검사의 동의 방식, 동의 면제 사항, 그 밖에 필요한 사항은 보건복지부령으로 정한다.

제52조(기록 보관 및 정보의 공개)

① 유전자검사기관은 다음 각 호의 서류를 보건복지부령으로 정하는 바에 따라 기록·보관하여야 한다.

1. 제51조에 따른 동의서
2. 유전자검사 결과
3. 제53조제2항에 따른 검사대상물의 제공에 관한 기록

② 유전자검사기관은 검사대상자나 그의 법정대리인이 제1항에 따른 기록의 열람 또는 사본의 발급을 요청하는 경우에는 그 요청에 따라야 한다.

③ 제2항에 따른 기록의 열람 또는 사본의 발급에 관한 신청 절차 및 서식 등에 관하여 필요한 사항은 보건복지부령으로 정한다.

제53조(검사대상물의 제공과 폐기 등)

① 유전자검사기관은 제51조제2항에 따라 검사대상자로부터 검사대상물의 제공에 대한 서면동의를 받은 경우에는 인체유래물연구자나 인체유래물은행에 검사대상물을 제공할 수 있다.

② 제1항에 따른 검사대상물의 제공에 관하여는 제38조제2항부터 제5항까지의 규정을 준용한다. 이 경우 "인체유래물 등"은 "검사대상물"로, "인체유래물 기증자"는 "검사대상자"로 각각 본다.

③ 유전자검사기관은 제1항에 따라 검사대상물을 제공하는 경우 외에는 검사대상물을 유전자검사 결과 획득 후 즉시 폐기하여야 한다.

④ 유전자검사기관은 검사대상물의 폐기에 관한 사항을 기록·보관하여야 한다.

⑤ 유전자검사기관은 휴업 또는 폐업이나 그 밖에 부득이한 사정으로 인하여 검사대상물을 보존할 수 없는 경우에는 보건복지부령으로 정하는 바에 따라 검사대상물을 처리하거나 이관하여야 한다.

⑥ 검사대상물의 폐기, 폐기에 관한 기록·보관 및 검사대상물의 처리 또는 이관에 필요한 사항은 보건복지부령으로 정한다.

6 유전학 용어 정리

1) **상염색체 우성(Autosomal dominant)**: 부계와 모계의 상염색체 유전자 한 쌍 중 하나의 유전자변이가 있는 것만으로도 질병이 발현되는 유전 형태

2) **상염색체 열성(Autosomal recessive)**: 부계와 모계의 상염색체 유전자 한 쌍 모두에 변이가 있을 때 질병이 발현되는 유전 형태로, 양쪽 부모 모두 결함 유전자를 하나씩 가지고 있고 이를 자녀가 다 받았을 경우 질병을 일으키게 됨

3) **가족성(Familial)**: 일반 인구보다 해당 가계에 특정 표현형이 빈번히 나타나는 것. 가족성인 경우 유전성이거나 그렇지 않은 원인 둘 다를 포함함

4) **개척자 효과(Founder effect)**: 소수의 조상이 지역적 또는 문화적으로 고립되어 인구 내에 높은 빈도로 변이가 나타나는 것

5) **침투도(Penetrance)**: 특정 유전형질이 있을 때 임상 양상이 발현될 가능성

6) **발단자(Proband)**: 이상 유전 형질을 가진 가계(family)의 출발점으로 선정된 사람

II

검사 전 상담과
동의서 작성
Pre-test counseling

1. 유방암의 위험요인과 유전성 유방암

2. *BRCA1/2* 유전자와 유전 양식

3. 유전자검사

4. 유전자검사의 결과와 의미

5. 유전자검사의 중요성

"안녕하세요? 저는 유전성 유방암 유전상담사 ○○○ 입니다. ○○○님은 유전성 유방암 고위험군으로 유전상담을 받으시겠습니다.

오늘 상담은 30분–1시간 정도 소요될 예정이고 보시는 것처럼 유전성 유방암과 검사 전반에 걸쳐 설명드릴 예정입니다."

소요시간: 30분–1시간 정도 소요

(가계도 작성 → 검사 전 상담 → 동의서 작성 → 혈액 채취)

1 유방암의 위험요인과 유전성 유방암

우리나라 여성 주요 암종 발생분율

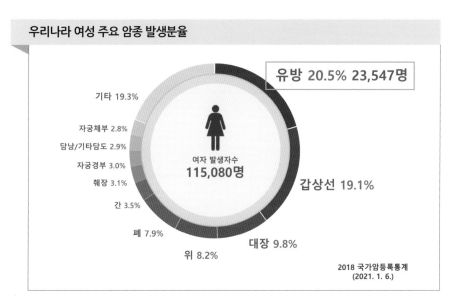

기타 19.3%
자궁체부 2.8%
담낭/기타담도 2.9%
자궁경부 3.0%
췌장 3.1%
간 3.5%
폐 7.9%
위 8.2%

유방 20.5% 23,547명

여자 발생자수
115,080명

갑상선 19.1%

대장 9.8%

2018 국가암등록통계
(2021. 1. 6.)

"국가암등록통계를 보면 유방암은 우리나라 여성에서 가장 많이 발생하는 암으로 2018년에 새로이 유방암으로 진단 받은 여성이 무려 약 2만 3천여 명에 달하며 매년 증가하는 추세입니다."

IARC (International Agency for Research on Cancer)에 따르면 유방암은 2018년 일본, 미국, 영국, 호주 등 OECD 35개국의 여성에서 연령표준화발생률 기준으로 가장 많이 발생하는 암으로 보고되었다(국립암등록통계). 우리나라에서 유방암은 2018년 여성에서의 암 발생 1위를 차지하며, 2017년 전년 대비 4.39% 증가한 바 있다. 난소암은 여성에서 발생하는 드문 종류의 암으로 2018년 새로이 진단된 난소암은 2,898건이며 연령표준화에 따른 여성 인구 10만 명당 난소암 연간 발생률은 2013년에 6.7명이었고 2018년 7.8명으로 보고되었다. 국내의 여성 유방암과 난소암 환자에서 2014-2018년 사이에 보고된 5년 상대생존율은 유방암이 93.3%, 난소암은 65.2%로 보고되었다.

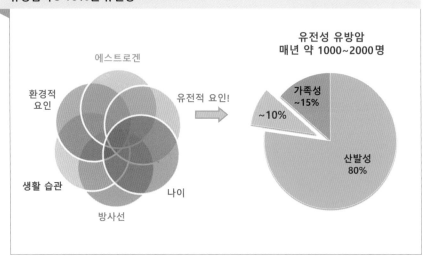

유방암의 5-10%는 유전성

에스트로겐

환경적 요인

유전적 요인!

생활 습관

나이

방사선

유전성 유방암
매년 약 1000~2000명

가족성 ~15%

~10%

산발성 80%

"유방암을 일으키는 위험인자는 생활 습관, 에스트로겐 노출 기간 및 비만, 서구식 식생활 등등 여러 가지 복합적인 원인에 의해서 발병된다고 합니다. 다양한 위험인자 중에서 그 원인을 확인할 수 있는 유전적 요인은 전체 유방암의 5-10%를 차지하는데, 유전적 소인이 있을 경우 발생 위험률이 2-4배 높습니다. 매년 2만여 명의 여성 유방암 환자가 발생하고 있으므로 그 중 1,000-2,000명은 유전적 요인이 확인된 유전성 유방암으로 추정하고 있습니다. 오늘은 그 중 유전적 요인에 의해 발생하는 유전성 유방암에 대한 상담을 진행하겠습니다."

유방암의 위험인자로는 이른 초경, 늦은 폐경, 폐경 후 여성의 비만, 호르몬대체요법 등이 있으며, 첫 만삭 분만 연령이 높거나, 모유 수유 여부, 경구피임제 사용 등이 영향을 줄 수 있다고 보고되어 있다. 고지방식, 과체중과 비만, 음주, 흡연, 적은 신체활동 등도 관련이 있다.

1994년경, 염색체 17번의 *BRCA1*과 염색체 13번에 위치한 *BRCA2*, 2개의 유전자가 확인되었다. 두 유전자의 변이는 유방암과 난소암의 위험을 크게 증가시키며 상염색체 우성 양식으로 유전된다. *BRCA1*과 *BRCA2* 유전자의 변이는 서구에서 대략 300-800명 중 1명 꼴로 드물게 발생하며, 유방암의 7%, 난소암의 14%가 이 두 유전자의 변이에 기인한다. 유전자변이는 조기 발생하는 유방암, 난소암이나 다발성 암, 남성 유방암, Ashkenazi 유태인에서 더 흔한 것으로 보고되어 있다.

유전성 암과 가족성 암이 혼동되어 쓰이는 경우가 많아 정확한 의미를 습득하는 것이 좋다. 유전성 암은 유전자변이로 인해 생기는 암을 말하며 가족 내 변이가 있는 경우이다. 가족 내에 암이 다빈도로 발생하는 경우 유전성 암에 의한 원인일 수도 있지만, 유전자변이가 발견되지 않은 경우 가족성 암으로 생각할 수 있다.

유전성 암(Hereditary Cancer)	
- 특정 암이 상염색체 우성 유전 형태로 전이되는 경우 - 일반적인 발생 연령보다 낮은 경우 - 여러 종류의 암이 동시에 발생하는 경우 - 드문 암이 자주 발생하는 경우 - 양측성 또는 다발성 암	직계 가족에서의 동일 변이의 위험은 50%이며, 불완전한 침투도(penetrance)와 발현의 다양성으로 명백한 보인자이지만 암에 걸리지 않을 수 있으며, 가계 내의 암 발생 연령은 다양할 수 있다. 가족 내의 변이를 가지고 있지 않은 구성원의 암 위험도는 일반인과 같다.
가족성 암(Familial Cancer)	
- 특정 암이 일반 빈도보다 가족 내에 높게 나타나나 유전의 경향이 아닌 경우 - 발생 연령이 다양함 - 산발성 암의 빈도가 높은 경우 때문일 수 있음	동일한 유전적 소인이나 같은 환경과 생활 습관의 원인일 수 있으며, 유전성 암 증후군의 전형적인 형태를 보이지 않는다.
산발성 암(Sporadic Cancer)	
- 유전적인 원인과 관계없는 암 - 전형적인 발생 연령	1명 이상의 암이 가계에 발생하여도 특정 유전 형태가 없고 유전자검사에서 변이가 발견될 확률이 낮으며 추가적인 암 발생 위험에 대한 정보가 필요치 않다.

유전성 유방암 검사가 필요한 분

- 유방암 진단 & 3등친 친척 이내에 1명 이상
  유방암, 난소암, 남성 유방암, 전이성 전립선암, 췌장암
- 만 40세 이하에 진단된 유방암
- 만 60세 이하에 진단된 삼중음성 유방암
- 양측성 유방암
- 유방암과 함께 난소암 또는 췌장암이 발생한 경우
- 남성 유방암
- 상피성 난소암
- 가족에서 *BRCA1/2* 유전자변이가 확인된 경우

3등친 친척 범위

2020. 07. 01. 유방암 유전성 유전자검사 건강보험 급여 기준
*난소암: 상피성 난소암으로 난관암과 원발성 복막암이 포함. 단 조직학적으로 순수 점액성 난소암은 제외

"유전성 유방암의 특징은 유전성 유방암의 유전자검사의 건강보험 급여 기준에서도 잘 나타나 있는데,

- 내가 유방암이 진단되었고 증조부모, 증손주, 부모의 형제자매, 이복형제를 포함한 나의 형제자매자녀 및 사촌을 포함한 3등친 친척 범위 안에서 1명 이상의 유방암, 난소암, 남성 유방암, 전이성 전립선암, 췌장암이 나타나거나
- 만 40세 이하에 일찍 진단된 유방암
- 만 60세 이하에 진단된 삼중음성 유방암
- 양측성 유방암
- 유방암과 함께 난소암이나 췌장암이 발생한 경우
- 남성 유방암
- 유방암은 없지만 상피성 난소암이거나
- 또는 가족에서 유전성 유방암 유전자 *BRCA1/2*에서 변이가 확인된 경우 유전성 유방암 검사의 대상이 됩니다.
  ○○○님은 이 항목에 해당되는 경우입니다."

2 BRCA1/2 유전자와 유전 양식

유방암 유전자 BRCA1 & BRCA2

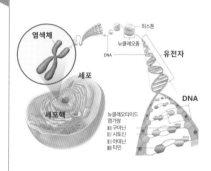

BRCA2
(염색체 13번)

BRCA1
(염색체 17번)

- **DNA < 유전자 < 염색체**
- **유전자는 단백질 생성 정보 포함**

- **사람 염색체는 46개, 23쌍**
- **Breast Cancer, 유방암 유전자 2개**
- *BRCA1 & BRCA2* : **종양억제유전자**

"유전성 유방암은 용어에서 의미를 짐작할 수 있듯이, 유전자에서 원인을 찾을 수 있습니다. 유전자는 우리 몸의 모든 세포의 핵 속에 존재하며 단백질 생성 정보와 같은 사람의 모든 유전정보를 담고 있습니다. 유전자를 완전히 풀어내면 실 같은 DNA 두 가닥이 꼬여 결합되어 있는 형태가 되고 DNA에 있는 모든 유전자들이 세포 분열할 때는 염색체 모양으로 응축하기 때문에 DNA, 유전자, 염색체를 모두 유전체(genome, 게놈)라고 부릅니다. 유전자의 DNA는 4개의 염기(Adenine, Thymine, Cytosine, Guanine)가 쌍을 이루어 이중나선구조로 되어 있는데 이 4개의 염기 배열에 따라 아미노산, 더 크게는 단백질의 생성 정보와 같은 모든 유전정보를 결정하고 우리 몸을 기능하게 합니다.

사람의 염색체는 46개, 23쌍으로 한 쌍의 염색체는 부모에게 각각 하나씩 받은 것이므로 유전자들도 한 쌍씩 존재합니다. 이 중, 유방암 유전자로 알려진 *BRCA1*과 *BRCA2*, 2개의 유전자는 원래 종양을 억제하는 기능을 하는 유전자입니다."

사람의 유전체(genome)는 세포 핵 내에 존재하며 세포분열 시 응축하여 23쌍, 46개의 염색체 형태로 나타나고 하나의 연속적인 DNA 이중나선구조로 구성 된다. 반수체(haploid) 상태인 23개 염색체의 DNA는 약 30억 개 이상(이배체(diploid) 46개 염색체는 총 60억 개 이상)의 뉴클레오타이드(nucleotide=염기(Adenine, Thymine, Cytosine, Guanine)+인산+당) 분자로 되어 있다. 모든 유전자는 DNA 뉴클레오타이드의 고유한 배열과 길이를 가지며 아미노산 → 폴리펩타이드 → 단백질 단위로 각 유전 형질의 발현 정보를 담고 있다.

유전자에서 단백질을 구성하는 20종의 아미노산을 생성하는 정보를 담은 DNA의 염기서열 부위를 코딩 부위, 엑손(exon)이라 부르며 단백질 생성 정보가 없는 부위를 넌코딩(noncoding), 인트론(intron)이라 한다. 각 세포가 특정 단백질을 만들 필요가 있을 때, 그 단백질의 정보를 담고 있는 유전자의 DNA를 주형 가닥(template)으로 RNA 전사체(transcript)를 만들어 유전정보를 전사하고 이 중 인트론은 제거되고 엑손들만 연결되는 과정을 거친다(스플라이싱; splicing). 세포 핵을 빠져 나올 수 없는 DNA의 유전정보는 mRNA(messenger RNA)를 통해 세포 핵에서 세포질로 빠져 나와 리보솜(ribosome)들과 결합하여 전사된 유전정보에 따라 단백질을 합성한다. 스플라이싱 과정을 통해 어떤 조합의 RNA가 전사되는지에 따라 한 유전자에서 여러 단백질을 생성할 수도 있다.

사람의 체세포 핵에는 23쌍의 46개 염색체가 있는데 이 가운데 22쌍은 남성과 여성이 모두 동일하여 상염색체(autosomes)라 하고 가장 큰 염색체를 1번으로 하여 크기대로 22번까지 번호를 붙인다. 나머지 한 쌍은 성염색체(sex chromosomes)로 여성은 XX, 남성은 XY로 이루어져 있다. 염색체 23쌍의 각 하나는 아버지로부터 다른 하나는 어머니로부터 유래된 것이다.

염색체는 DNA를 따라 길게 배열된 유전자들을 포함하고 있는데 현재까지 단백질의 정보를 담은 유전자만 약 25,000개 이상으로 총 6만여 개의 유전자가 알려져 있다. 쌍을 이루는 각각의 염색체를 서로 상동염색체(homologues)라 부르며 동일한 염기서열 부분에 동일한 유전자를 갖고 있다. 그러나 같은 유전자 좌위(locus)에 위치하는 유전자들은 발현되는 표현 형질이 같을 수도 있고 약간 다른 형질이 나타날 수도 있는데 이것을 서로 대립인자 또는 대립유전자(alleles)라고 한다. 같은 형질의 대립유전자로 구성되어 있을 때를 동형접합(homozygous), 다른 형질의 대립유전자일 때를 이형접합(heterozygous)이라고 한다.

*BRCA1*과 *BRCA2*는 종양억제유전자에 속하는 유전자이다. 정상 세포에서 *BRCA1/2*는 세포의 유전물질(DNA)의 안정에 관여하며 세포의 비정상적인 증식을 방지한다. 이들 유전자의 변이가 반드시 암 발생을 의미하는 것은 아니지만 *BRCA* 유전자는 침투도(penetrance)가 높아 변이가 있을 경우 유방암과 난소암이 발생할 위험도가 증가한다. 그 외에도 *BRCA1* 변이는 자궁암, 췌장암, 대장암의 위험을 증가시키고 *BRCA2* 변이는 췌장암, 위암, 담낭암, 담관암, 악성 흑색종의 위험을 증가시킨다는 보고가 있다. 남성의 경우 *BRCA* 변이는 남성 유방암, 췌장암, 전립선암의 위험도를 높이고, *BRCA1*에 비해 *BRCA2*가 더 관련이 깊다.

유전자변이의 의미

DNA 표준염기서열 ▪ **THE BIG DOG ATE THE CAT**

▪ **THE BIG DOG ATE THE CAT**
결실 ▪ **THB IGD OGA TET HEC AT**
치환 ▪ **THE PIG DOG ATE THE CAT**

▪ **THE BIG DOG ATE THE CAT**
부분 결실 ▪ **THE BIG DOG THE CAT**
부분 중복 ▪ **THE BIG DOG ATE THE CAT CAT CAT**

> ▪ 유전자변이 → 단백질 생성 변화 · 정상적 기능 상실
> ▪ 생물학적, 생활환경적, 유전적 원인
> ▪ 종양억제유전자 *BRCA1/2* 변이 → 유전성 유방/난소암 증후군 발생 위험

"유전자는 4개의 글자로 이루어진 문장처럼 사람의 유전정보가 암호화되어 있습니다. 따라서, 유전자변이가 있다는 뜻은 기준이 되는 DNA의 염기서열과 비교했을 때 한 글자가 빠져 있거나(결실, deletion) 다른 글자로 바뀌어(치환, substitution, point mutation) 있거나, 일정 부분이 없거나(partial deletion) 더 있는 경우(insertion/duplication), 본래의 의미와 달라져서 원래의 유전자 기능, 즉 단백질이 생성이 되지 않거나(nonsense) 다른 단백질이 만들어지는(missense) 등의 정상적인 기능이 상실될 수 있다는 뜻입니다. 이러한 유전자변이는 꼭 윗 세대로부터 전달된 유전 때문만은 아니며 생물학적 또는 생활 환경 요인 등에서 생겨날 수 있는 과정입니다. 그러나 임상적으로 중요한 의미가 있는 위치에서 변이가 생겨난 경우 질환으로 나타날 수 있습니다."

변이의 종류

❶ 전체 유전자 결실 또는 중복(whole gene deletion/duplication)

유전자 단위의 결실이나 중복

❷ 염색체 재배열(chromosome rearrangement)

염색체 수준의 대규모 구조적 이상으로 서로 다른 염색체 간의 멀리 떨어진 염기서열의 융합 또는 재배열

❸ 엑손 결실 또는 중복(exon deletion/duplication)

유전자 내의 한 개 또는 여러 엑손의 결실이나 중복

❹ 유전자의 프로모터 또는 cis-acting 조절 염기의 변이

유전자 발현 조절 부위의 염기서열 변이가 바로 인접한 유전자의 발현에 영향을 주는 효과

❺ 스플라이싱(splicing) 이상 변이

인트론이 제거되는 과정, 스플라이싱 부위의 변이 또는 잠재적 스플라이싱 부위의 활성화로 인한 변이

❻ 틀변형 변이(frameshift)

한 개의 아미노산을 지정하는 단위인 3개 염기로 된 코돈(codon) 틀이 염기의 삽입이나 결실로 변형되어 아미노산 생성 정보의 오류

❼ 정지 변이(nonsense), 미성숙 정지 코돈(premature stop codon) 생성 변이

다른 정상 코돈을 정지 코돈(UGA, UAA, UAG)으로 변화시켜 아미노산 생성이 중단

❽ 과오 변이(missense)

한 가지의 아미노산을 다른 아미노산으로 바뀔 수 있는 변이

❾ 동의 치환(synonymous substitution)

동일한 아미노산이 생성되지만 염기서열 수준에서 다른 코돈으로 치환된 변이

돌연변이(mutation)란 DNA 염기서열의 변이나 돌연변이체(mutant)를 일컫는 용어로서 다음 세대로 전달되는 유전자의 변이를 말한다. 최근 생식세포성(germline) 유전자변이는 돌연변이 (mutation) 대신 변이(variant)라는 용어로 대체하여 병인성 정도를 5단계로 세분화하고 있으므로(2015 ACMG standards and guidelines) 유전상담에서는 부정적 의미를 담고 있는 돌연변이라는 용어의 사용보다는 '유전자변이'라는 표현을 권장한다.

DNA가 매우 안정된 분자이지만 유전자변이는 DNA 손상이나 복제 오류로 인해 발생되며, 세포 내에서 정상적인 산화적 대사로 발생하는 반응성 산소는 염기를 화학적으로 변형시킬 수 있다. DNA 가닥 절단은 복제 오류, 화학적 변형, 자연적 방사에너지 등으로 인해 항상 일어날 수 있다. 이러한 손상의 대부분은 환경적 오염, 핵 발전, 또는 다른 기타 인간활동과는 관계가 없다. 세포는 DNA 손상이 있을 때 이를 수선하는 효소를 갖추고 있어서 대부분의 손상은 간과되지만 절대적으로 손상이 없는 것은 아니다. 만약, 손상이 DNA의 두 가닥 중 한 가닥에 국한되어 있다면 상보적인 가닥이 이를 수선하는데 주형으로 이용될 수 있다. 그러나 두 가닥이 절단된 경우에는 종종 수선과정 후 염기에 오류를 남긴다.

BRCA 유전자의 이상이 있을 때

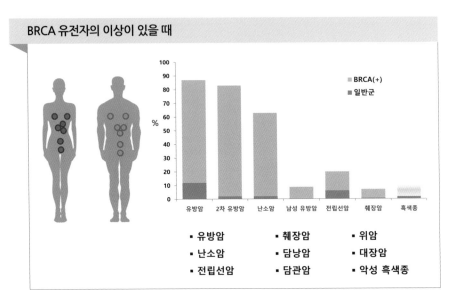

- 유방암
- 췌장암
- 위암
- 난소암
- 담낭암
- 대장암
- 전립선암
- 담관암
- 악성 흑색종

"BRCA1과 2에서 유전자의 변이가 있는 경우, 유방암과 난소암의 발생 위험이 일반인에 비해 증가하고 그 외에 췌장암, 전립선암, 담낭암, 담관암, 위암, 대장암, 피부암(악성 흑색종*)의 위험도가 일반인에 비해 높아집니다."

*흑색종(Melanoma)은 위험도 증가가 수치로 나타나 있지 않아 그래프 모양이 다름.

BRCA 유전자의 이상이 있을 때

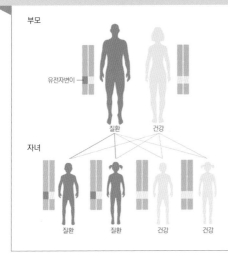

- 한 쌍의 염색체는 임신될 때 부모로부터 한 개씩 받음

- 개인마다 50% 확률

- 성별에 관계 없이 전달

- 보인자 : 유전자변이가 있는 사람

- 그러나 !
  유전자변이 보인자 ≠ 암 발생

"유방암 유전자 *BRCA*는 어떻게 다음 세대로 전달되는지 말씀드리겠습니다.

모든 유전자는 23쌍의 염색체에 한 쌍씩 존재하는데 태아가 임신될 때 부모로부터 각각 한 개씩 받아서 23쌍의 염색체를 받게 됩니다. 이때, 부모 중 한 사람에게 유전자변이가 있는 경우, 유전자변이가 있는 염색체가 자녀에게 전달될 확률은 정확히 50%입니다. 유전성 유방암의 유전자는 남녀 모두 같은 상염색체에 존재하기 때문에 성별에 상관없이 나타날 수 있습니다. 이렇게 전달되는 방식을 상염색체 우성 유전이라고 합니다.

즉, 어머니뿐만 아니라 아버지에게서 아들과 딸 모두에게 전달될 수 있고, 부모 또는 형제가 유전자변이가 있는 경우 50%의 확률은 가족 수의 50%가 아니라 각 개인별로 50%의 확률로 유전자변이가 있을 수 있다는 뜻입니다. 유전자변이가 있는 사람을 보인자라고 하는데 꼭 구분해서 기억하실 점은 유전자변이가 있는 보인자라고 해서 반드시 암이 발생한다는 의미는 아닙니다."

상염색체 우성

상염색체 우성은 한 쌍의 대립유전자(alleles) 중, 유전자의 1 copy(복제수)만으로도 발현되는 유전적 상태(이형접합성, heterozygous)를 말한다.

- 남자와 여자 모두에서 질병 대립유전자는 발현되며 그 대립유전자들은 동등한 비율로 아들과 딸에게 전달될 수 있다. 변이가 있는 가족에서 변이가 있는 자녀와 그렇지 않은 자녀의 비율은 항상 거의 1:1이 된다.

- 유전자변이가 있는 사람들에게는 유전자변이가 있는 부모가 존재하게 된다. 발현 양상은 가계도에서 수직적인 양상을 보이고 삼대에 걸쳐 직접적으로 전달된 경우는 사실상 우성으로 진단 내릴 수 있다.

- 부모 모두가 유전자변이가 없다면, 부모의 생식세포 모자이시즘(mosaicism)이나 자녀에서 de novo 변이의 드문 가능성을 제외하고 자녀들도 유전자변이가 없다.

3 유전자검사

유전성 유방암과 유전성 암 유전자

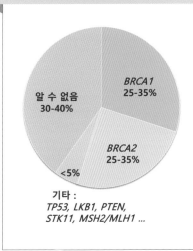

- 유전성 유방/난소암 증후군

- 카우덴 증후군
  다발성 과오종, 유방암, 갑상선암, 자궁내막암

- 리-프라우메니 증후군
  소아암, 연부조직육종, 유방암, 혈액암, 골육종
  흑색종, 대장암, 췌장암, 부신피질암, 뇌종양

- 포이츠-제거스 증후군
  소화기암, 유방암, 난소암, 성선 종양, 고환암

- 무어-토레 증후군
  대장암, 자궁내막암, 난소암, 위암

"현재 유전성 유방암의 원인으로 *BRCA1*과 *BRCA2* 유전자가 알려져 있는데 이 두 유전자의 변이가 유전성 유방암 원인의 약 50-60%를 차지하며 이를 유전성 유방/난소암 증후군이라고 합니다.

그리고 5% 미만에서 다른 유전자의 변이가 있을 때 여러가지 증후군의 형태로 유방암, 난소암, 췌장암 등 여러 암이 복합적으로 나타날 수 있고, 나머지 30-40%는 잘 알려져 있지 않습니다."

환자나 가족 내에 다른 암이나 임상 증상이 있는 경우에는 *BRCA1/2* 이외의 다른 원인의 유전성 유방암을 고려해야 한다. 다른 가능성 있는 질환들은 다음과 같다:

Cowden 증후군

드문 상염색체 우성 질환으로 다발성 과오종, 빈번한 유방/갑상선/자궁내막의 양성 또는 악성 질환과 특징적인 신체적 양상이 있다. Cowden 증후군의 임상적 기준을 만족하는 대부분의 환자들이 *PTEN* 유전자에 변이가 존재한다.

Li-Fraumeni 증후군

소아암, 연부조직육종, 유방암, 혈액암, 골육종, 흑색종, 대장암, 췌장암, 부신피질암, 뇌종양 등의 종양이 빈발하는 드문 상염색체 우성 질환이다. 이 증후군과 관련된 유방암은 20대 초반과 같이 조기에 발병하는 특징이 있다. 대부분의 환자들이 *TP53* 유전자변이가 있다.

Peutz-Jeghers 증후군

소화기계 전체에 발생하는 과오종성 폴립, 과색소침착, 소화기암의 빈발, 유방, 난소암, 성선 종양 (sex cord tumor), 남성에서의 고환암 등을 특징으로 하는 드문 상염색체 우성질환이다.

Muir-Torre 증후군 (HNPCC 또는 Lynch 증후군)

대장, 자궁내막, 난소, 위암의 증가된 위험을 특징으로 하는 상염색체 우성 질환이다. 대부분은 *MLH1* 또는 *MSH2* mismatch repair (MMR) genes의 변이가 있으며, *MSH6*, *PMS2*과 같은 다른 MMR gene은 드문 편이다.

저침투도 유전자변이

가계 내에서의 유방암의 빈발은 암의 위험을 크게 증가시키지 않는 저침투도 유전자의 변이일 가능성이 있으며 1100delC와 *CHEK2* 유전자의 변이는 유방암의 위험을 2배 정도 증가시킨다. *BRCA1/2*보다는 위험도가 낮다.

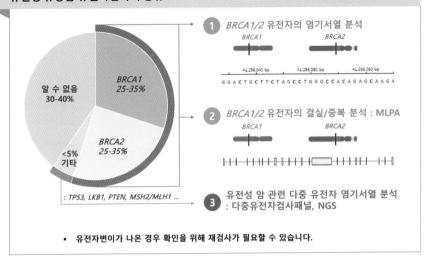

유전성 유방암 유전자검사의 종류

① *BRCA1/2* 유전자의 염기서열 분석

② *BRCA1/2* 유전자의 결실/중복 분석 : MLPA

③ 유전성 암 관련 다중 유전자 염기서열 분석
: 다중유전자검사패널, NGS

- 유전자변이가 나온 경우 확인을 위해 재검사가 필요할 수 있습니다.

"현재 임상 영역에서 유전성 유방암을 확인할 수 있는 유전자검사의 종류는 세 가지입니다.

먼저 유전성 유방/난소암 증후군의 가장 많은 원인을 차지하고 있는 *BRCA1*과 *BRCA2* 두 유전자를 기준 DNA 염기서열과 비교 확인하는 *BRCA1/2* 유전자 염기서열 분석 검사입니다. 이 검사는 유방암으로 진단되거나 가족 중에 유전자변이가 확인된 경우에는 급여 검사로 진행할 수 있는 가장 기본이 되는 검사입니다. 이 검사로 *BRCA1/2* 유전자에서 생기는 변이를 발견할 수 있는 확률(변이 검출률)은 약 85-90% 입니다.

두번째는 *BRCA1/2* 유전자에서 단백질 생성 정보가 포함된 중요한 부분이 결실되었거나 중복되었는지 확인하는 MLPA 검사가 있으며, 첫번째 검사와 함께 시행하여 유전성 유방암의 주요 유전자인 *BRCA1/2*에서 나타날 수 있는 변이를 대부분 확인할 수 있습니다.

세번째는 5% 미만에서 나타나는 유전성 암과 관련된 기타 여러 유전자의 염기서열을 동시에 확인하는 다중유전자검사패널이 있습니다. 이 검사는 유방암 이외에도 여러 암들이 여러 가족 구성원에서 나타나는 가족력이 많은 경우 고려해 볼 수 있습니다.

세 가지 검사는 필요한 경우 순차적 또는 동시에 시행하여 유전성 여부를 확인할 수 있지만 모든 검사를 시행한다고 하더라도 검사의 기술적 한계, 아직까지 밝혀지지 않은 유전자의 영역 등의 원인으로 유전성 여부를 100%는 확인할 수 있는 것은 아닙니다."

〈유전자검사와 결과〉

현재 임상영역에서 유전성 유방암의 유전자검사로 가능한 검사는 크게 세가지로 직접염기서열분석법(sanger sequencing) 또는 차세대염기서열분석법(next-generation sequencing, NGS)으로 가능한 *BRCA1/2* 유전자의 염기서열분석(DNA sequencing), *BRCA1/2* 유전자의 엑손 부분의 결실(deletion)과 중복(duplication)을 확인할 수 있는 *BRCA1/2* 유전자 MLPA(multiple ligation-dependent probe amplification) 분석, 그리고 차세대염기서열분석법으로 여러 유전자의 염기서열을 동시에 분석할 수 있는 다중유전자검사패널(multi-gene panel test)가 있다.

MLPA 검사법은 *BRCA1/2* 유전자의 규모가 큰 엑손의 결실이나 중복 같은 대규모 유전체 재배열(large genomic rearrangements, LGRs)을 확인할 수 있는 검사로 염기서열분석으로 확인하기 어려운 이상을 보완할 수 있다. *BRCA1/2* 유전자의 염기서열분석과 MLPA 분석을 동시에 시행하는 경우 *BRCA1/2* 유전자변이를 최대 90% 확인할 수 있다.

다중유전자검사패널(multi-gene testing)은 보통 유방암을 비롯하여 특정 암과 관련된 유전자가 포함되므로 특정한 암 증후군이나 가계 내 다양한 암이 발생한 경우 또는 둘 이상의 유전자변이를 의심하는 경우 고려해 볼 수 있다. 그러나 분석하는 유전자검사기관에 따라 유전자의 구성이나 염기서열분석의 정확도, 변이 분석 프로그램, 변이를 해석하는 판독자의 기준이나 해석 등에 따라 변이 검출률에 영향을 미칠 수도 있다. 또한 다중유전자검사패널의 NGS는 여러 유전자의 염기서열을 분석하는 방법으로 대규모 구조적 이상이나 엑손의 결실이나 중복 또는 인트론 영역의 변이 등 기술적 한계로 인해 변이 종류에 따라 검출되지 않을 수 있다.

또한, 패널의 종류에 따라 침투도가 높지 않은 유전자 또는 질병과의 연관성이 명확히 밝혀지지 않은 유전자가 포함되어 있고, 미분류 변이가 다수 발견될 가능성이 있는 등 한계점이 있다. 따라서, 다중유전자패널에 포함될 수 있는 유전자변이 정보가 모두 임상적으로 활용 가능한 것은 아님을 염두에 두어야 하며 환자의 상태에 적합한 검사실과 검사패널의 선택 및 검사 전/후 유전상담에 주의를 요한다.

한국인 유방암 환자군에 대한 다중유전자검사 경험은 국내 여러 기관에서 보고하였으며, 변이 발견율이 *TP53* 1.3-1.7%, *CDH* 3.1%, *PALB2* 0-2.5%, *CHEK2* 1100delC 0%였고, *PTEN*, *SKT11*, *NF1*, *ATM*, *NBN* 등은 국내 보고가 부족한 상태이다. 이와 같은 임상 분야에서의 한계점은 대규모 국제 연구로 점차 확인되고 있다. 최근 한국인 유전성 유방암 연구 코호트도 포함된 113,000명의 여성을 대상으로 유방암 환자와 대조군에서 이러한 다중유전자패널에서 유방암 감수성 유전자의 변이와 유방암 위험도 수준 및 유방암 세부 유형별 연관관계 평가 등 임상 결과가 보고 축적되고 있다.

고위험 유전자와 마찬가지로, 중간 위험 유전자와 관련된 위험은 전적으로 그 유전자에 의한 것이 아니라, 다른 유전자 또는 환경과의 상호작용에 의해 영향을 받을 수 있다. 또한 같은 유전자의 변이(pathogenic 또는 likely pathogenic)라 하더라도 변이의 위치에 따라 질병의 위험도가 달라질 수 있다. 따라서 알려진 유전자변이의 위험도만을 이용하여 암을 진단받지 않은 다른 가족 구성원의 암 위험도를 예측하지 못할 수 있다. 중간 위험 유전자변이 검사 결과는 유방암 가족력에 근거한 암 검진 및 관리 원칙을 바꿀 정도의 영향을 주지 않을 수도 있다. DNA repair에 관련된 많은 유방암 유발 유전자(breast cancer susceptibility gene)는 상염색체 열성 상태일 때에 여러 희귀 질환의 발생과 관련될 수 있다. 단일 유전자를 검사할 때에 비하여, 다중유전자패널을 이용하여 유전자변이를 검사할 때 variant of uncertain significance (VUS)가 발견될 가능성이 증가한다.

유전체의 염기서열분석으로 검출된 염기서열 변이의 해석과 분류는 2015 ACMG (american college of medical genetics) standards and guidelines의 기준에 따라 다음과 같이 분류하고 있다.

- Pathogenic
- Likely pathogenic
- Variant of uncertain significance (VUS)
- Likely benign
- Benign

염기서열분석 검사의 경우 최종 결과는 양성(positive; pathogenic, likely pathogenic), 음성(negative; benign, likely benign), 미분류 변이(VUS)로 표기될 수 있다.

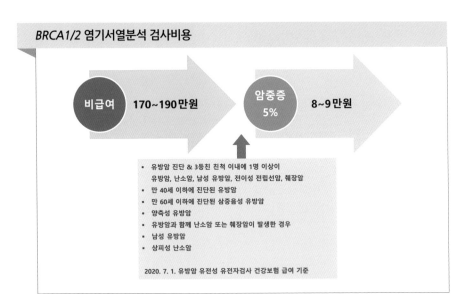

BRCA1/2 염기서열분석 검사비용

비급여 170~190만원 → 암중증 5% 8~9만원

- 유방암 진단 & 3등친 친척 이내에 1명 이상이
  유방암, 난소암, 남성 유방암, 전이성 전립선암, 췌장암
- 만 40세 이하에 진단된 유방암
- 만 60세 이하에 진단된 삼중음성 유방암
- 양측성 유방암
- 유방암과 함께 난소암 또는 췌장암이 발생한 경우
- 남성 유방암
- 상피성 난소암

2020. 7. 1. 유방암 유전성 유전자검사 건강보험 급여 기준

　"검사 비용은 가장 기본적인 *BRCA1/2* 유전자 염기서열 검사의 경우 기관에 따라 170-190만원 정도이지만 건강보험 급여 기준에 따라 적용을 받고 건강보험 산정특례 중증암으로 등록되어 환자가 5%만 부담하는 경우, 8-9만원 수준입니다.

　BRCA1/2 유전자의 MLPA 검사는 비급여 검사이며, 여러 유전자의 염기서열을 동시에 확인하는 다중유전자검사패널은 검사하는 유전자의 개수, 보험여부 또는 기관에 따라 검사 비용이 달라질 수 있습니다."

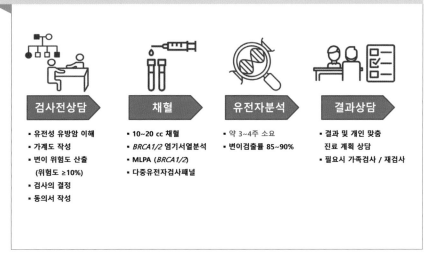

검사전상담	채혈	유전자분석	결과상담

▪ 유전성 유방암 이해
▪ 가계도 작성
▪ 변이 위험도 산출
  (위험도 ≥10%)
▪ 검사의 결정
▪ 동의서 작성
	▪ 10~20 cc 채혈
	▪ *BRCA1/2* 염기서열분석
	▪ MLPA (*BRCA1/2*)
	▪ 다중유전자검사패널
		▪ 약 3~4주 소요
		▪ 변이검출률 85~90%
			▪ 결과 및 개인 맞춤
			  진료 계획 상담
			▪ 필요시 가족검사 / 재검사

"지금까지 유전성 유방암에 대하여 설명을 드렸습니다. ○○○님은 오늘 이 순서대로 (가계도 작성–검사 전 상담–동의서 작성–혈액채취) 진행하겠습니다.

유전자검사 방법은 혈액을 10–20 cc 정도 채취하여 할 수 있는 검사입니다. 혈액의 세포 핵 속에 있는 DNA에서 유방암 유전자의 염기서열을 하나하나 확인하는데 검사결과는 약 3–4주 정도 소요되지만 결과가 나오는 대로 환자분께 연락을 드리겠습니다. *BRCA1/2* 염기서열분석 검사의 경우 유전성 유방암 원인의 85–90% 정도를 확인할 수 있습니다. 검사 후 잔여 혈액은 환자분의 동의 하에 향후 유방암 관련 연구를 위하여 사용될 수 있습니다. 또한 검사결과에 따라 환자분에게 적절한 진료 계획 수립 및 상담이 이루어 집니다.

가계도 작성은 적어도 3대 친족들의 암 과거력(유방암, 난소암, 췌장암, 전립선암, 또는 다른 암)에 대한 정보가 필요하며, 일찍 사망했거나 혹은 다른 질환에 대해서도 가능한 많은 내용을 알려주시면 됩니다."

4 유전자검사의 결과와 의미

유전자검사 결과와 의미

양성	• 유방암 관련 유전자변이가 발견된 경우
음성	• 유방암 관련 유전자변이가 없는 경우
미분류 변이	• 유전자변이는 있으나 유방암 또는 기타 암 관련 여부가 불확실한 경우

"유전자검사의 결과는 세 가지 형태로 나올 수 있습니다. 유전자변이가 발견되었다는 의미의 양성, 유전자변이가 발견되지 않았다는 의미의 음성, 유전자변이가 발견되었으나 유방암 또는 기타 암과의 관련 여부가 현재까지 불확실한 미분류 변이로 나타날 수 있습니다. 먼저 유전자변이가 발견된 양성 결과에 대해서 먼저 말씀드리겠습니다."

양성 결과(Positive result)

양성 결과는 *BRCA1/2* 유전자의 염기서열이 기준 염기서열과 다르며 발견된 이 변이가 임상적으로 유방암이나 난소암 또는 기타 암의 발병 위험도를 증가시킬 수 있는 pathogenic 또는 likely pathogenic 변이로 분류되었다는 것을 의미한다. 암이 진단된 환자에게서 발견된 유전자변이는 환자 본인에게 암의 재발, 반대편 유방암의 이차적 발생, 기타 암의 발생위험도를 높이고, 가족에게도 유방암, 난소암 등의 관련 암의 발생 위험도가 일반인들에 비하여 현격히 높아지므로 유전자변이 여부 확인을 위한 가족 검사가 필요하게 된다. 이때, 유전상담 중 작성한 가계도를 함께 보며 양성 결과가 나올 경우, 만 19세 미만의 미성년자를 제외한 가족 중 우선 검사대상이 될 수 있는 분을 미리 설명하는 것이 좋다.

한국인의 *BRCA* 유전자변이 빈도

- 한국인 유전성 유방암 연구, KOHBRA Study
- 보인자 2,403명

소인	서구의 결과 %	한국인 빈도 %
가족력	30-70	22.3
유방암 가족력		20.6
난소암 가족력		29.4
유방암&난소암 가족력		48.8
양측성 유방암	20	16.3
40세 이하에서 발생한 유방암	10-20	7.1
남성 유방암	20	4.8

"*BRCA* 유전자의 변이가 한국인에서 나타나는 빈도를 살펴보면 가족력이 있거나 양측성 유방암의 경우 서구의 결과와 크게 다르지 않습니다. 유방암 또는 난소암 가족력이 있는 경우에서 *BRCA* 유전자변이의 빈도가 높고 특히 유방암과 난소암이 모두 있는 가족력의 경우 약 50%의 빈도로 유전자변이가 나타났습니다.

그 외 양측성 유방암, 일찍 발병한 유방암, 남성 유방암 순으로 *BRCA* 유전자변이가 나타나고 있습니다."

*양측성 유방암, 40세 이하 유방암, 남성 유방암은 모두 가족력이 없는 군에서의 빈도임.

보인자 2,403명을 대상으로 한 한국인 유전성 유방암 연구(KOHBRA Study)의 보고에 따르면, 가족력이 있는 경우 3등친 이내의 가족 중에 유방암이나 난소암 환자수가 *BRCA* 변이 빈도에 더 중요한 인자로 나타났다(22.3%, n=274/1,228). 가족력이 없는 경우 양측성 유방암으로 진단된 경우 16.3%(n=34/209), 유방암과 난소암이 동시에 발생한 환자에서 37.5%(n=3/8)로 *BRCA* 유전자변이가 나타났다.

반면, 일찍 발생한 유방암이나 유방암을 포함한 다장기암, 남성 유방암에서는 *BRCA* 변이 빈도가 10%를 넘지 않았다. 다른 위험요인이 없고 가족력이 없는 35세 미만에서는 8.8%(n=39/441)였으며 35세 미만의 일찍 진단된 삼중음성 유방암에서의 변이 빈도는 12.5%(n=13/104)이지만 일찍 진단된 비 삼중음성 유방암에서의 변이는 7.8%(n=24/308)로 나타났다.

또한 남성 유방암에서는 유방암/난소암의 가족력이 전체 *BRCA* 변이 빈도와 연관이 없었으나 *BRCA2* 변이는 유방암/난소암 가족력이 있는 경우 더 높았다(33%, n=2/6 vs. 4.3%, n=1/23). 국내 남성 유방암의 *BRCA* 유전자변이 빈도가 서구의 결과에 비해 낮으나 이는 분석에 포함된 남성의 수가 적어 좀 더 명확한 빈도를 확인하기 위해서는 더 많은 남성 유방암 환자에 대한 분석이 필요하겠다.

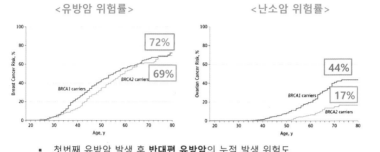

BRCA 유전자와 유방암/난소암 누적 위험률

<이미지: 유방암 위험률 / 난소암 위험률 그래프>

- 첫번째 유방암 발생 후 **반대편 유방암**의 누적 발생 위험도

유전자	10년 후	20년 후	40년 후
BRCA1	23%	40%	53%
BRCA2	16%	26%	65%

- **기타 암**의 위험률의 2-6배 증가
  - **자궁내막암, 췌장암, 남성 전립선암, 악성 흑색종, 담낭암, 담관암, 대장암, 위암**

"BRCA1/2 변이가 발견된 사람을 보인자라고 하는데, 보인자라도 모두 암에 걸리는 것은 아닙니다. 서구의 대규모 연구 보고에 의하면 유방암/난소암의 위험률이 연령에 높아짐에 따라 증가하는데 BRCA1 변이 보인자의 경우 80세까지 유방암, 난소암 위험률이 72%, 44%까지 증가하고, BRCA2 변이 보인자인 경우 69%, 17%까지 증가합니다. 또한, 이미 유방암으로 진단을 받은 보인자의 유방암의 위험도는 첫번째 유방암 진단 약 40년 후 최대 65%까지 증가합니다. 또한 다른 암의 위험률도 유전자변이가 없는 사람들과 비교했을 때 발병 위험이 2-6배 높아질 수 있습니다. 만약, 가족에게도 같은 BRCA 유전자변이가 있는 경우, 이러한 암 발생 위험도가 높아져 있다는 것을 의미합니다."

BRCA1 변이가 있는 경우 평생 유방암에 이환될 확률은 72%(65-79%)가량 되며, 한국 일반 여성의 확률이 3%인 것에 비해 증가되어 있다. 유방암에 이환된 경우 약 40년 이후 반대편 유방에 발생할 확률은 53%(44-62%)이다. 난소암의 위험은 44%(36-53%)이며, 대장암의 위험은 약간 증가된다. *BRCA2* 변이가 있는 경우 평생 유방암에 이환될 확률은 69%(61-77%)이며, 유방암에 이환된 경우 약 40년 이후 반대편 유방에서 발생할 위험은 65%(25-98%)이다. 난소암의 위험은 17%(11-25%)이며 대장암의 위험은 약간 증가된다.

국내 보고에 의하면 *BRCA1* 변이 여성의 경우 70세까지 유방암의 발생위험률은 72.1%(59.5-84.8%), 난소암의 발생위험률은 24.6%(0-50.3%)였으며, *BRCA2* 변이의 경우에는 각각 66.3%(41.2-91.5%), 11.1%(0-31.6%)로 서구와 유사한 결과를 보였다. 남성의 경우 비보인자의 평생 동안 유방암 위험률은 0.1% 정도이나, 평생 동안 유방암 발생위험률은 *BRCA1* 유전자변이가 있는 경우 약 1.2%, *BRCA2* 유전자변이가 있는 경우 6.8-8.4%, 전립선암의 발생 위험률은 65세까지 약 15%이다.

BRCA1/2 유전자의 변이는 유방, 난소암 또는 남성 전립선암의 발병위험뿐만 아니라 자궁내막암, 췌장암, 담도암, 대장암 등 다양한 암의 위험도를 높이는 것으로 알려져 있다. 따라서 유전성 유방/난소암 가계를 확인하고 이들을 관리하는 것은 이미 암이 발병한 개인뿐 아니라 암에 이환되지 않은 가족의 암 관리와 예방을 위해서 매우 중요한 과정이라 할 수 있다.

〈유전성 유방암의 치료〉

수술 전에 유전자변이가 발견된 경우 유방보존술이 가능하더라도 유방절제술을 선택하거나 예방적 유방절제술을 선택하는 경우가 있다. 유전자변이가 있는 경우 방사선치료가 더 위험하다는 근거는 없다. 유방보존술을 시행한 경우 재발이 더 많다는 근거는 없으며 동측 또는 반대측의 유방암 위험은 증가되어 있다. Tamoxifen 복용이 반대편 유방암의 발생을 낮추는 데 효과적이나, 호르몬 수용체 음성인 유방암의 경우에서 재발 방지에 효과적인지에 관해서는 불분명하다.

양측 난소난관절제술이 난소암뿐만 아니라 유방암 발생의 위험도 낮출 수 있으나, 유방암이 발생한 경우 사망률을 낮추는지에 관해서는 분명치 않다. *BRCA2* 유방암보다 *BRCA1* 유방암에서 나쁜 예후를 가지는 조직학적 인자와 관련성이 높은데 낮은 분화도, 고등급, 높은 증식성, 호르몬 수용체 음성인 경우가 많으며, *HER2* 음성인 경우가 많다. 이러한 인자들이 있는 일반 암에 비교하여 유전성 유방암이 더 나쁜 예후를 가지는지에 대해서는 불분명하다.

유전자변이가 있다고 하여 유방암의 치료 원칙에 크게 차이가 있지는 않지만, platinum 제제와 PARP (poly ADP-ribose polymerase) inhibitor에 좋은 반응을 보이며, Taxane에 반응이 저하되어 있다는 보고가 나오고 있다.

유방암 유전자 보인자의 예방법

**더 확실한
예방법!**

▪ 유방암/난소암 발병감시
- 생활양식 개선 : 호르몬, 출산/모유 수유, 음주, 비만, 신체활동, 흉부 X선 촬영
- 정기적인 유방암 발병 감시 : 자가검진, 임상검진, 유방촬영, MRI
- 정기적인 난소암 발병 감시 : 경질초음파, CA125 종양표지자 혈액검사
- 남성 전립선암 검진 : 직장수지검사, 전립선특이항원 혈액검사
- 기타 암 검진 : 위암, 대장암 등

▪ 약제를 이용한 예방법
타목시펜 : 유방암의 발병을 50% 낮춤
- BRCA1 유전자 변이 보인자에서 효과가 불확실
- 드물게 자궁암 및 혈전증의 위험을 높임

피임약 : 난소암의 발병을 50% 낮춤
- 단점 : 유방암의 발생률을 높일 수 있음

▪ 예방적 수술법
유방절제술
- 가장 확실한 유방암 예방법
- 유방암의 위험을 90-95% 이상 낮춤
- 생존율 이득은 불명확

난소난관절제술   **신중히 생각할 부분**
- 난소암의 위험을 80-85% 낮춤
- 유방암의 위험도 동시에 50% 낮추는 효과
- 사망률 감소

"변이가 발견된 보인자의 경우, 다양한 예방적 접근이 가능하지만 유전자변이 자체를 치료할 수 있는 방법은 없습니다. BRCA 변이가 확인되면 가계 내 암 발생 연령 또는 일반인의 검진 시기 보다 5-10년 이른 시기부터 유방암/난소암의 검진을 시행하고 약제를 이용한 예방적 방법이나 난소나 유방의 예방적 수술 등의 예방법을 주치의와 상담을 통하여 고려할 수 있습니다. 따라서, 유전자검사 후 변이가 발견되었다면 암 예방이나 조기 발견을 위한 구체적 방법에 대해 반드시 주치의의 상담을 받으셔야 합니다."

여성 보인자의 유방암/난소암 발생 감시

- 일반인들보다 빠른 나이에 시작
- 가족력이 있는 경우, 가족 진단 나이보다 5-10년 먼저 시행

암종	시 기	유전자변이 보인자	일반인 검진
유방암	만 18세부터 매월	유방 자가검진 (월경 후 3일 째)	30세부터 매월
	25~29세, 6개월마다	전문의에 의한 임상진단	35세부터 2년마다
	25~29세, 1년 간격	유방 MRI	
	30~75세, 1년 간격	유방촬영과 유방 MRI (6개월 간격으로 번갈아 시행)	40세부터
난소암	30세부터 6개월 또는 매년	난소암 검진 (CA125, 경질초음파(TV-USG))	-

남성 보인자의 유방암/전립선암 발생 감시

- 일반인들보다 빠른 나이에 시작
- 가족력이 있는 경우, 가족 진단 나이보다 5-10년 먼저 시행

암종	시 기	유전자변이 보인자
유방암	35세부터, 매월 정해진 날	규칙적인 유방 자가검진
	35세부터, 12개월 간격	전문의에 의한 임상진단
	여성형 유방인 경우, 50세부터	유방촬영
전립선암	40세부터, 1년 간격 *BRCA2* 보인자 : 검사 권고 *BRCA1* 보인자 : 검사 고려	직장수지검사(DRE) 전립선특이항원(PSA) 혈액검사 직장초음파

유전자검사 결과와 의미

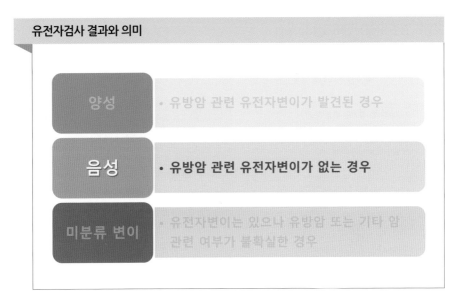

양성	• 유방암 관련 유전자변이가 발견된 경우
음성	**• 유방암 관련 유전자변이가 없는 경우**
미분류 변이	• 유전자변이는 있으나 유방암 또는 기타 암 관련 여부가 불확실한 경우

"유방암과 관련된 변이가 없는 음성 결과에 대하여 말씀드리겠습니다."

유방암 관련 유전자변이가 없는 음성

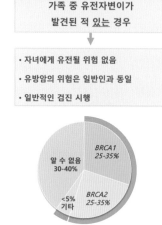

가족 중 유전자변이가 발견된 적 있는 경우	가족 중 유전자변이가 발견된 적 없는 경우
• 자녀에게 유전될 위험 없음 • 유방암의 위험은 일반인과 동일 • 일반적인 검진 시행	• 이 결과만으로 결론을 내리기 어려움 • 검사하지 않은 유전자나 변이의 유형 　→ 추가 검사 : MLPA, 다중유전자검사패널 • 검사의 기술적 한계 • 아직 밝혀지지 않은 유전자의 원인 • 필요시, 유전자 보인자에 준하여 검진 관리

- **검사 후 상담이 꼭 필요합니다.**

　"변이가 발견되지 않은 음성 결과인 경우, 단순히 암 발병 위험률이 전혀 없다는 의미는 아닙니다. 유전자변이는 유방암의 원인 중 일부만을 설명할 수 있기 때문에 두 가지로 구분해서 생각해 볼 수 있습니다.

　먼저, 가족 중에 유전성 유방암과 관련된 유전자변이가 확인된 적 있는 경우, 환자분에게 해당 유전자변이가 없는 음성 결과는 신뢰할 수 있으며 유전성 유방암의 가능성이 일반인 또는 일반 유방암과 동일한 수준이므로 이러한 경우 일반적인 암 검진 계획 또는 일반 유방암 치료 계획에 따르시면 됩니다.

　두번째는, 유전성 유방암 고위험군이면서 가족 중에 유전자변이가 확인된 적이 없는 경우, 환자분의 음성 결과만으로 결론을 내리기 어려우며 다음과 같은 가능성이 있습니다.

　첫째, 검사 방법에 따라 발견되지 않은 유전자변이의 유형이 있을 수 있습니다. 이러한 경우 MLPA 또는 다중유전자검사패널을 시행해 볼 수 있습니다.

　둘째, 아직 밝혀지지 않은 유전자의 변이이거나 현재 임상 영역에서 가능한 검사법의 기술적 한계로 인하여 발견이 어려운 변이의 가능성이 있습니다.

　이 경우는 주치의의 진료 계획에 따라 유전자변이를 가진 보인자에 준하여 검진 관리가 이루어 질 수도 있습니다."

가족 내 변이가 없는 경우의 음성 결과

변이가 발견되지 않은 경우, 현재의 기술로는 *BRCA1/2* 변이가 발견되지 않았음을 의미한다. 내담자와 가족의 암의 원인은 여전히 밝혀지지 않은 채로 남아 있으며 위험도 판정은 가족력으로 판단해야 함을 의미한다. 변이가 발견되지 않은 경우 3가지의 가능한 설명이 있다. 개별 환자에서의 과거력이나 가족력을 확인하고 검사 전의 위험도(pre-test probability)를 고려해야 한다.

첫째, 암의 원인이 개별 유전자의 변이가 아닌 우연에 의한 것이나 환경적 요소, 생활 습관일 가능성이 있다.

둘째, *BRCA1/2* 변이가 있으나 기술적 한계로 발견하지 못했을 경우이다. Berry 등(2002)은 15%의 변이는 유전자검사에서 발견되지 않는다고 기술하였다. Walsh 등은 상당한 가족력이 있는 유방암 환자에서 *BRCA1/2* 유전자검사가 음성인 경우, 12%에서는 대규모 유전자 재배열(large genomic rearrangements, LGRs)이나 결실 및 중복이 발견된다고 보고하였다. 변이가 없다는 결과를 해석할 때 검사실의 유전자검사 방법과 민감도를 숙지할 필요가 있다. 임상적으로 유전성이 의심되는 경우에는 대규모 유전자 재배열을 검사하기 위하여 추가검사가 필요하다.

유방암/난소암의 가족력이 상당한 가계에서 변이가 발견되지 않은 경우에는 연구가 필요하며, 유전상담을 통하여 가능한 검사가 있는지 확인해야 한다.

셋째로 개인이나 가족의 암 과거력이 다른 유전자로 인한 원인일 가능성을 고려해야 한다. 조기 유방암과 난소암 병력이 있는 가계에서의 대부분의 원인은 *BRCA1/2* 변이이다. 유방암만 발생하는 가계에서는 *BRCA1/2* 변이의 가능성이 일부라도 존재할 수 있으며 다른 질병이 발병하는 가계에서는 다른 유전자의 변이로 인한 증후군도 고려해 볼 수 있다. 환자가 유방암과 난소암에 동시에 이환되었으나 변이가 발견되지 않은 경우, 환자의 경우는 비유전성 표현형이(phenocopy)일 가능성이 있으므로 다른 가계 구성원이 유전자검사를 받는 것이 추천된다.

이러한 가능성은 환자가 전형적인 나이보다 늦게 발병한 경우나 유방암과 난소암이 아닌 다른 암에서 이환된 경우에서 더 높을 수 있다. 조기 발병한 유방암이나 난소암에 이환된 가계 구성원이 먼저 검사를 받는 것이 가장 유용하다. 암이 없는 가계 구성원이 음성 결과를 받는 경우 암에 이환된 가장 가까운 가계 구성원이 유전자검사를 받아야 한다(comprehensive genetic testing). 가족 내 양성 결과가 없는 경우 질환에 걸리지 않은 내담자의 음성 결과는 신뢰할 수 없다.

제한적 연구에서 난소암 발생이 없는 유방암 가계에서는 난소암 발생이 통계적으로 유의하게 증가하지 않는다는 보고가 있었다. 따라서 *BRCA* 유전자변이가 없으면서 난소암의 가족력이 없다면 예방적 난소난관절제술이나 난소암 선별검사를 강력히 권유하지 않는다. 난소암의 가족력이 있는 유방암 환자의 경우 CA125 수치와 경질초음파로 이루어지는 난소암 선별검사의 한계에 관해 상담해야 하고, 분만을 완료한 35세 이상에서는 난소난관절제술을 고려할 수 있다.

가족 내 변이가 있는 경우에서의 음성 결과

BRCA1/2 유전자변이가 가족 내에 발견된 경우 음성 결과의 해석은 내담자의 유방암, 난소암 발생 위험은 일반인과 비슷하다고 할 수 있다. 그러나 일반인에서도 암의 위험은 있으며 그러한 위험을 배제할 수 있는 검사는 없다는 설명이 필요하다. 이러한 여성의 경우 일반적인 선별검사가 추천된다. 30세부터 매월 유방 자가검진, 35세부터 2년 간격의 유방진찰, 40세 이상의 경우 매년 유방촬영을 시행한다. 이러한 경우 난소암 검진은 난소암 가족력에 따라 고려한다.

유전자검사 결과와 의미

양성	• 유방암 관련 유전자변이가 발견된 경우
음성	• 유방암 관련 유전자변이가 없는 경우
미분류 변이	• 유전자변이는 있으나 유방암 또는 기타 암 관련 여부가 불확실한 경우

"마지막으로 미분류 변이로 결과가 나오는 경우입니다."

의학계 임상 연구 데이터 축적으로
유전자변이의 임상적 재평가

미분류 변이 → 양성
미분류 변이 → 음성

유전자변이에 대한 분류 변경 시,
최신 임상 평가에 따른 유전상담이 필요

- 검사 후 상담이 꼭 필요합니다.

"BRCA1/2 유전자 중에 변이가 발견되었지만, 이 변이와 암과의 인과관계가 명확하지 않습니다. 이것은 임상적 의미가 불확실한 미분류 변이(variant of uncertain significance, VUS, unclassified variant, UV)라고 부릅니다. ○○○님에게서 발견된 것 같이 의미가 불확실한 변이와 암과의 인과관계를 밝히고자 하는 노력이 과학계에서 계속되고 있으며, 연구 결과에 따라 유전성 유방암 증후군과 연관성이 밝혀질 가능성이 있습니다. 발견된 변이와 질병과의 연관성이 추가로 발견될 경우 검사를 시행한 주치의를 통해 새로운 정보가 전달될 것입니다."

VUS (variant of uncertain significancet)는 *BRCA* 유전자변이가 있으나 질병과의 임상적 연관성이 불명확한 경우를 말하며, 고위험 가족의 index case 중 8-15%에서 발견된다. 이들은 *BRCA* 단백구조를 변경시킬 정도의 큰 변이는 아니지만, 질병과 연관성이 있는지 양성 다형성 (benign polymorphism)에 불과한지 후속 연구를 통해 밝혀지게 될 가능성이 있는 변이이며, 대부분이 단일 염기의 변화에 기인하는 과오변이(missense variant)인 경우가 많다. 변이가 단백질 전사에 핵심적인 부분에서 발생하지 않는 경우는 대부분 단일 아미노산 변화만 발생하기 때문에 임상적 중요성이 거의 없는 것으로 간주되지만, *BRCA* 단백질 기능을 변화시킬 정도의 구조 변형이 있는지 없는지는 추가 연구가 필요한 부분이므로, 유전자변이 음성과 동등하게 다룰 수는 없다. 개별 VUS에 대해 보고된 정보를 취합하여 VUS를 좀 더 분류하려는 시도가 진행되고 있으며, IARC (international agency for cancer research)는 병인성 위험도에 따라 변이를 구분하려는 시도를 제시한 바 있다.

> ### 미분류 변이(variant of uncertain significance, VUS)
>
> 미분류 변이는 2015 ACMG standards and guidelines에 따라 유전성 유전자변이 분류 5단계 중, pathogenic, likely pathogenic, likely benign, benign의 분류 기준에 부합하지 않는 경우 VUS로 분류된다. 대개 유전자분석기관이 제공하는 환자의 결과지나 생식세포성(germline) 유전자변이들에 대한 임상적 평가를 종합적으로 참고할 수 있는 clinvar (www.ncbi.nlm.nih.gov/clinvar/) 등 여러 데이터베이스에서 여러 전문기관이나 연구자들이 제출한 각 변이에 대한 해석과 변이 분류의 세부 근거 등의 정보를 확인할 수 있다. 미분류 변이라 할지라도 특정 질환에서 pathogenic, likely pathogenic으로 평가한 이력이 있는지 또는 질환과 임상적 연관성이 떨어지는 benign, likely benign으로 평가되었는지 또는 환자의 가족력, 과거력의 정도에 따라서 향후 해당 미분류 변이의 평가가 어떻게 달라질지 가늠해 볼 수 있다.
>
> 유전상담 시, 미분류 변이는 향후 질병과의 연관성이 밝혀질 경우 결과가 변경될 가능성이 있다는 사실을 내담자에게 꼭 주지시킨다.
>
> 또한 미분류 변이 결과만으로 다른 가족들에게 유전자검사를 권유할 수 있는 근거나 위험감소를 위한 예방적 유방/난소난관절제술을 시행할 수 없다. 환자나 의사 모두 주기적으로 미분류 변이의 암 위험에 대한 재분류에 주의를 기울여야 하며 가능한 경우, 유전자변이 연구에 참여시킬 수 있다.

유전자검사의 중요성

이미 유방암에 걸린 나에게 유전자검사가 무슨 의미가 있나요?

이 점	한계점
위험 요소를 명확히 확인 → 나와 가족의 건강관리를 위한 중요한 정보	잘못된 유전자를 치료할 수 없음
암 발생 적극적 감시 유방암/난소암 예방적 중재 난소난관절제술을 통한 사망률 감소	완전한 예방이 안됨 돌이키기 힘든 선택

"유방암으로 진단받은 많은 환자분들이 이미 유방암에 걸린 나에게 유전자검사가 왜 필요한지 질문하고 있습니다.

유전자검사는 환자인 나에게도 중요할 뿐만 아니라 가족들에게도 중요한 검사입니다. 환자분에게는 재발률, 반대편 유방암의 이차적 발병, 난소암 등의 위험성을 적극적으로 예방 관리하고 필요한 경우 수술이나 치료 방법을 변경할 수도 있습니다.

아직 암이 발생하지 않은 가족들에게는 유방암, 난소암, 전립선암 등의 위험도가 일반인들에 비해 높아져 있으므로 예방하거나 치료 가능한 단계에서 조기 발견할 수 있는 기회를 갖는 것입니다. 또는 음성으로 결과를 받은 가족에게는 불안감이나 불필요한 검사를 하지 않아도 된다는 이점이 있습니다.

반면 변이가 있는 유전자 자체는 치료할 수 없어서 적극적인 감시가 완전한 예방이 될 수 없고 검사 결과로 인해 부정적인 영향도 있을 수 있습니다."

유전자검사의 잠재적 위험

- 심리적 충격
  - 유전자변이를 가진 보인자로 진단받은 여성들은 보통 3~6주 후에 만성적인 근심, 혼란, 수면장애를 경험할 수 있음
  - 우울감, 극단적 선택
- 가족 관계
  - 자신이 유전자를 물려줬다는 사실에 자책과 분노를 가짐
  - 가족 간의 갈등, 이혼 등의 부정적 영향
  - 유전자변이가 없다면 반대적으로 죄책감으로부터 벗어남
- 비밀 보장
  - 유전정보가 누출된다면 보험 가입 시 차별 등 개인의 사생활을 침해하는 수단으로 사용될 수 있음

- **유전자검사 결과는 환자의 동의 없이
그 누구에게도 공개되지 않습니다.**
유전자검사 결과지 사본은 **본인**에게만 발급

- **생명윤리 및 안전에 관한 법률 제46조에 의한 보호**
유전정보에 의한 교육, 고용, 승진, 보험 등의 차별금지

- **그러나, 가족과 공유하는 것이 중요합니다.**

"유전자검사에 관련하여 상담한 내용, 유전자검사 결과 등은 개인민감정보로 본인 이외에는 공개되지 않습니다.

따라서, 유전자검사 결과의 사본은 일반 의무기록과 달리 법정대리인을 증명할 수 있는 특별한 경우를 제외하고는 본인에게만 발급되며 유전정보에 의한 교육, 고용, 승진, 보험 등의 차별을 하지 못하도록 법률로 규정하고 있습니다. 그러나 환자분이 직접 가족들과 유전자검사 결과에 대하여 공유하는 것은 가족의 건강한 미래를 위하여 중요합니다."

- 유방암/난소암 발병률
- 반대편 유방암 발병률
- 기타 암 발병률

- 유전자검사 없이 차선적으로 위험률이 높은 유방암/난소암 발병 검사 가능
- 유전성 유방암으로 의심되는 경우, 보인자에 준하여 검진 관리 권장

"환자분께서는 유전자검사를 하지 않을 권리도 있습니다. 유전자변이 유무를 알고 싶지 않다고 느낄 수도 있습니다.

원하지 않는 경우, 유전자검사 없이 차선적 검사를 시행하실 수 있습니다. 그러나 유전성 유방암의 고위험군이므로 유전자변이가 있는 보인자에 준한 암 검진 관리를 권장 드립니다."

유전성 유방암 검사!
나와 우리 가족의
건강한 미래를 선택하는 결정입니다

〈동의서 작성의 과정〉

동의서 작성 시에는 적절한 정보가 제공되어야 하며
검사의 이득과 위험, 한계에 관하여 충분한 상담을 받아야 한다.
자율성의 원칙에 근거하여 충분한 이해에 근거한
자율적으로 유전자검사 여부를 결정할 수 있어야 한다.

〈임상종양유전학에서 유전자검사 동의서와 검사 전 교육에 포함되어야 하는 사항(ASCO statement, 2015)〉
(Components of Informed Consent and Pretest Education in Clinical Cancer Genetics)

감수성 검사에 대한 일반적인 검사 전 유전상담(검사 목적)(Traditional Pretest Counseling for Susceptibility Testing (purpose of testing))

1. 유전자검사에 관한 정보와 그 결과가 의학적 관리에 미치는 영향(Information on specific genetic mutation(s) or genomic variant(s) being tested, including whether range of risk associated with variant will affect medical care)

2. 양성 또는 음성 및 미분류 결과의 영향(Implications of positive (mutation confirmed to be deleterious), negative (no identified change in genetic sequence), or uncertain (genetic variant of unknown clinical significance) result)

3. 검사로 특별한 정보를 얻지 못할 경우(Possibility test will not be informative)

4. 자녀 및/또는 다른 가족 구성원들이 유전질환을 가지고 있을 위험(Risk that children and/or other family members may have inherited genetic condition)

5. 유전자검사와 유전상담의 비용, 소비자직접검사(direct to consumer, DTC)의 경우 유전상담사가 검사를 하는 회사에 고용되어 있는지의 여부(Fees involved in testing and counseling; for DTC testing, whether counselor is employed by testing company)

6. 검사 결과가 심리상태에 미치는 영향(이득과 위험)(Psychological implications of test results (benefits and risks))

7. 고용과 보험 차별 위험과 그에 대한 보호(Risks and protections against genetic discrimination by employers or insurers)

8. 비밀 보장(Confidentiality issues, including DTC testing companies and policies related to privacy and data security)

9. DNA 검체가 앞으로의 연구에 이용될 가능성(Possible use of DNA samples for future research)

10. 유전자검사 후 예방적 의료 관리에 관한 선택과 한계점(Options and limitations of medical surveillance and strategies for prevention after genetic or genomic testing)

11. 가족에게 검사 결과를 알리는 것에 대한 중요성(Importance of sharing genetic and genomic test results with at-risk relatives so that they may benefit from this information)

12. 검사결과 전달 및 추적관찰에 대한 계획(Plans for follow-up after testing)

다중유전자검사패널을 위한 검사 전 상담(아래의 특별 고려 사항과 함께 일반적인 유전상담과 동일한 구성 요소) (Pretest Counseling for Multigene Panel Testing (same general components as traditional counseling, with following special considerations))

1. 각 유전자별 검토가 용이하지 않을 수 있기 때문에 특정 유전자에 대한 논의가 일괄적으로 필요할 수 있다; 평가되는 고침투도 증후군들이 기술되어야 한다(유전성 유방/난소암, 린치, 유전성 미만성 위암, 리-프라우메니); 환자는 개인별 또는 가족력으로 추측되지 않는 고침투도 유전자변이가 발견될 수 있는 가능성에 대하여 알고 있어야 한다; 임상적 유효성이 불확실한 유전자들은 보다 일반적으로 기술될 필요가 있다.) (Discussions of specific genes may need to be batched, because it may not be feasible to review each gene individually; high-penetrance syndromes being evaluated should be described (e.g., hereditary breast-ovary, Lynch, hereditary diffuse gastric, Li-Fraumeni); patients should be aware of possible detection of

high-penetrance mutations not suggested by personal or family history; genes of uncertain clinical utility may need to be described more generally)

2. 잘 알려지지 않았거나 낮은 침투도 유전자에서 양성 결과의 의미와 개인별 또는 가족력으로 추측되지 않는 증후군과 관련된 유전자의 변이 발견에 특히 주의해야 한다. (Particular attention should be paid to implications of positive results in less well-understood or lesser penetrance genes and in findings of mutations in genes associated with syndromes not suggested by personal or family history)

3. 현재의 높은 비율의 미분류 변이에 대한 주의(Attention should be paid to current high rate of variants of uncertain significance)

4. 열성 유전 질환의 유전자의 변이로 가계에 잠정적으로 일어날 수 있는 생식 영향을 강조 (예; *ATM*, Fanconi's [*BRCA2*, *PALB2*], *NBN*, *BLM*) (Highlight potential reproductive implications to family of mutations in genes linked to recessive disorders (e.g. *ATM*, Fanconi's [*BRCA2*, *PALB2*], *NBN*, *BLM*)

유전자검사 동의서

동의서 관리번호			

	성 명		생년월일
검사대상자	주 소		
	전화번호		성별
법정대리인	성 명		관계
	전화번호		
유전자 검사기관	기관명		
	전화번호		
유전자 검사항목	검사목적		
	검사명		

본인은 「생명윤리 및 안전에 관한 법률」 제51조 및 같은 법 시행규칙 제51조에 따라 해당 유전자 검사에 대하여 충분한 설명을 들어 이해하였으므로 위와 같이 본인에 대한 유전자검사에 자발적인 의사로 동의합니다.

년　　　월　　　일

검사대상자 　　　　　　　　　　　(서명 또는 인)
법정대리인 　　　　　　　　　　　(서명 또는 인)
상담자 　　　　　　　　　　　(서명 또는 인)

※ 동일한 대상 및 목적을 위한 추가적인 유전자검사에 대해서는 별도의 동의서 작성 없이 아래 서명만 추가할 수 있습니다.

년　　　월　　　일

검사대상자 　　　　　　　　　　　(서명 또는 인)
법정대리인 　　　　　　　　　　　(서명 또는 인)
상담자 　　　　　　　　　　　(서명 또는 인)

년　　　월　　　일

검사대상자 　　　　　　　　　　　(서명 또는 인)
법정대리인 　　　　　　　　　　　(서명 또는 인)
상담자 　　　　　　　　　　　(서명 또는 인)

년　　　월　　　일

검사대상자 　　　　　　　　　　　(서명 또는 인)
법정대리인 　　　　　　　　　　　(서명 또는 인)
상담자 　　　　　　　　　　　(서명 또는 인)

유의사항

1. 이 유전자검사의 결과는 10년간 보존되며, 법 제52조제2항에 따라 본인이나 법정대리인이 요청하는 경우 열람할 수 있습니다.
2. 검사 후 남은 검사대상물을 인체유래물연구 또는 허가받은 인체유래물은행에 기증하는 것에 동의하는 경우에는 연구의 목적, 개인정보의 제공에 관한 사항 등 제공에 관한 구체적인 설명을 충분히 듣고, 별지 제34호의 인체유래물연구 동의서 또는 별지 제41호의 인체유래물등의 기증 동의서를 추가로 작성하여야 합니다.

구비서류	법정대리인의 경우 법정대리인임을 증명하는 서류

210mm×297mm[백상지 80g/㎡(재활용품)]

III

검사 후 상담과
향후 치료의 선택
Post-test counseling

1. *BRCA* 유전자와 유전성 유방암

2. *BRCA* 유전자검사 양성 결과

   1) 여성 보인자를 위한 안내

   2) 남성 보인자를 위한 안내

3. *BRCA* 유전자검사 음성 결과와 미분류 변이

"(양성 결과 예시) 유전자검사 결과 *BRCA(1 또는 2)* 변이가 발견되었습니다. 먼저 *BRCA* 유전자에 대해 간략히 설명드리고 유전자변이의 의미와 향후 치료에 관한 설명을 드리도록 하겠습니다."

유전자검사를 결정하고 검체를 검사실로 보낸 경우 검사 결과에 대한 불안이 증가하게 된다. 결과 전달에 관한 절차를 미리 설명하는 것이 환자의 불안을 감소시킬 수 있다. 직접 또는 전화로 결과 전달 예약을 하게 되면 환자는 필요한 경우 배우자, 가족 구성원, 친구 등에게 도움을 청할 수 있다. 환자에게 결과를 전달할 경우 검사의 민감도와 특이도, 암 위험도에 대한 영향, 감정상태에 대한 영향, 의학적 관리의 선택, 다른 의료인에게의 의뢰 여부, 가족에게 알리는 과정에 도움을 주는 것 등을 상의해야 한다. 의학적 관리에 대한 부분과 가족 구성원의 암 위험에 대해 논의하는 것이 도움이 된다. 지지적 태도로 상담하여야 하고, 필요한 경우 다른 의료인에게 의뢰한다.

양성 결과를 전달 받은 경우에는 같은 상황에 놓인 사람들과 소통하는 것이 도움이 된다. 위험도가 높으면서 가족 내 변이가 발견되지 않은 경우에는 의료진과의 지속적인 접촉이 필요하며 새로운 유전자가 발견되거나 다른 가족 내 정보가 발견되는지를 확인해야 한다. 여러 지원 단체에 관한 내용도 제공하여야 한다. 추적 편지(follow up letter)를 보내는 것이 좋으며 암 위험도에 대한 요약과 유전자검사의 과정에 참고 자료로 활용할 수 있다. 그러한 요약본은 다른 가족에 정보를 제공할 수 있으며 가족력에 대한 중요성과 위험도 판정 결과의 중요성을 일깨워 줄 수 있다.

유전자검사 결과의 전달은 유전상담 과정에 있어서 검사 후 상담(post-test counseling)의 가장 첫 과정이며, 검사 후 상담에서는 내담자에게 올바른 정보를 알기 쉽게 제공하여 사실을 이해시키는 것뿐만 아니라, 내담자의 감정적 반응을 이해하고 지지해 주어야 하며, 올바른 결정을 내릴 수 있도록 도울 수 있어야 한다. 검사 결과는 간략하게 전달하여야 한다. 부정적 결과를 이야기할 때 가장 주의할 점 중에 하나는, 상담사의 불편을 줄이기 위하여 내담자의 정상적인 감정 반응을 조기에 중단시켜서는 안된다는 점이다. 내담자는 충분히 자신의 감정을 추스르고 난 후에야 상담사의 설명을 들을 준비가 될 수 있다. 조금씩 설명을 진행해 나가야 하며, "어떠신가요?", "잠깐 쉬었다 할까요?" 등의 질문으로 내담자의 반응을 확인한다. 적절한 공감도 필요하다.

1

BRCA 유전자와 유전성 유방암

유방암의 5-10%는 유전성

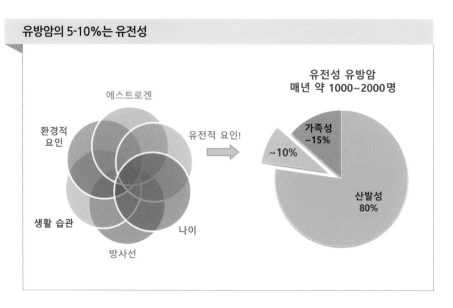

"유방암을 일으키는 위험인자는 생활 습관, 에스트로겐 노출 기간, 비만, 서구식 식생활 등 복합적인 원인에 의해서 발병된다고 합니다. 다양한 위험인자 중에서 그 원인을 확인할 수 있는 유전적 요인은 전체 유방암의 5-10%를 차지하는데, 유전적 소인이 있을 경우 유방암 발생 위험률이 2-10배 높습니다. 매년 2만여 명의 여성 유방암 환자가 발생하고 있으므로 그 중 1,000-2,000명은 유전성 유방암으로 추정하고 있습니다."

유전성 유방암과 유전성 암 유전자

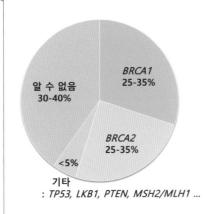

- 유전성 유방/난소암 증후군
- 카우덴 증후군
  다발성 과오종, 유방암, 갑상선암, 자궁내막암
- 리-프라우메니 증후군
  소아암, 연부조직육종, 유방암, 혈액암, 골육종
  흑색종, 대장암, 췌장암, 부신피질암, 뇌종양
- 포이츠-제거스 증후군
  소화기암, 유방암, 난소암, 성선 종양, 고환암
- 무어-토레 증후군
  대장암, 자궁내막암, 난소암, 위암

"현재 유전성 유방암의 원인으로 *BRCA1*과 *BRCA2* 유전자가 알려져 있는데 이 두 유전자의 변이가 유전성 유방암 원인의 약 50-60%를 차지하며 이를 유전성 유방/난소암 증후군이라고 합니다.

그리고 5% 미만에서 다른 유전자의 변이가 있을 때 여러가지 증후군의 형태로 유방암, 난소암, 췌장암 등 여러 암이 복합적으로 나타날 수 있고, 나머지 30-40%는 잘 알려져 있지 않습니다.

○○○님의 결과는 이중 *BRCA* (또는 ○○○) 유전자에 해당됩니다."

유방암 유전자 *BRCA1/2*와 유전자변이

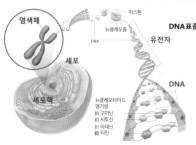

DNA표준영기서열	▪ THE BIG DOG ATE THE CAT

▪ THE BIG DOG ATE THE CAT
결실 ▪ THB IGD OGA TET HEC AT
치환 ▪ THE PIG DOG ATE THE CAT

▪ THE BIG DOG ATE THE CAT
부분 결실 ▪ THE BIG DOG THE CAT
부분 중복 ▪ THE BIG DOG ATE THE CAT CAT CAT

- **DNA < 유전자 < 염색체**
- **유전자는 단백질 생성 정보 포함**
- **Breast Cancer, 유방암 유전자 2개**

- 유전자변이 → 단백질 생성 변화 · 정상적 기능 상실
- 생물학적, 생활환경적, 유전적 원인

- **종양억제유전자 *BRCA1/2* 변이 → 유전성 유방/난소암 증후군 발생 위험**

"유전자는 우리 몸의 모든 세포의 핵 속에 존재하며 단백질 생성 정보와 같은 사람의 모든 유전정보를 담고 있습니다.

유전자를 완전히 풀어내면 실같은 DNA 두 가닥이 꼬여 결합되어 있는 형태로 되어 있는데 ATGC라는 네 가지 글자로 이루어진 문장처럼 단백질 생성 정보가 암호같이 담겨 있습니다.

따라서 유전자에 변이가 생겼다는 것은 원래의 단백질 생성 정보가 바뀌어 단백질이 생성되지 않거나 정상적인 기능을 상실할 수 있다는 뜻입니다. 유전성 유방암 유전자로 알려진 *BRCA1/2* 두 유전자는 원래 종양을 억제하는 기능을 하는 유전자로 이 두 유전자에서 변이가 발생하면 유전성 유방/난소암 증후군의 발생 위험이 높아질 수 있습니다."

유방암 유전자는 남녀 모두 유전될 수 있다

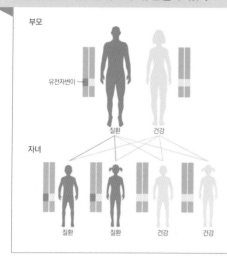

- 한 쌍의 염색체는 임신될 때 부모로부터 한 개씩 받음

- 개인마다 50% 확률

- 성별에 관계 없이 전달

- 보인자 : 유전자변이가 있는 사람

- 그러나 !
  유전자변이 보인자 ≠ 암 발생

"유방암 유전자 *BRCA*는 어떻게 다음 세대로 전달되는지 말씀드리겠습니다.

모든 유전자는 23쌍의 염색체에 한 쌍씩 존재하는데 태아가 임신될 때 부모로부터 각각 한 개씩 받아서 23쌍의 염색체를 받게 됩니다.

이때, 부모 중 한 사람에게 유전자변이가 있는 경우, 유전자변이가 있는 염색체가 자녀에게 전달될 확률은 정확히 50%입니다. 유전성 유방암 유전자는 남녀 모두 같은 상염색체에 존재하기 때문에 성별에 상관없이 나타날 수 있습니다. 이렇게 전달되는 방식을 상염색체 우성 유전이라고 합니다.

즉, 어머니뿐만 아니라 아버지에게서 아들과 딸 모두에게 전달될 수 있고, 부모 또는 형제가 유전자변이가 있는 경우 50%의 확률은 가족 수의 50%가 아니라 각 개인별로 50%의 확률로 유전자변이가 있을 수 있다는 뜻입니다. 유전자변이가 있는 사람을 보인자라고 하는데 꼭 구분해서 기억하실 점은 유전자변이가 있는 보인자라고 해서 반드시 암이 발생한다는 의미는 아닙니다."

2 BRCA 유전자검사 양성 결과

유전자검사 결과와 의미

양성	• 유방암 관련 유전자변이가 발견된 경우
음성	• 유방암 관련 유전자변이가 없는 경우
미분류 변이	• 유전자변이는 있으나 유방암 또는 기타 암 관련 여부가 불확실한 경우

"유전자검사의 결과는 세 가지 형태로 나올 수 있습니다. 유전자변이가 발견되었다는 의미의 양성, 유전자변이가 발견되지 않았다는 의미의 음성, 유전자변이가 발견되었으나 유방암 또는 기타 암과의 관련 여부가 현재까지 불확실한 미분류 변이로 나타날 수 있습니다."

1) 여성 보인자를 위한 안내

유전자검사 결과와 의미

양성
- 유방암 관련 유전자변이가 발견된 경우

- 여성 보인자를 위한 안내
- 남성 보인자를 위한 안내

"○○○님의 경우 ○○ 결과는 이 ○○ 결과에 해당이 됩니다."

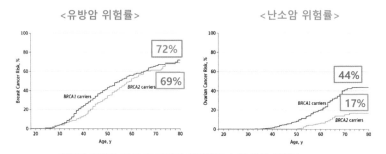

BRCA 유전자와 유방암/난소암 누적 위험률

첫번째 유방암 발생 후 반대편 유방암의 누적 발생 위험도

유전자	10년 후	20년 후	40년 후
BRCA1	23%	40%	53%
BRCA2	16%	26%	65%

기타 암의 위험률의 2-6배 증가
- 자궁내막암, 췌장암, 남성 전립선암, 악성 흑색종, 담낭암, 담관암, 대장암, 위암

"BRCA1/2 변이가 발견된 사람을 보인자라고 하는데, 보인자라도 모두 암에 걸리는 것은 아닙니다. 서구의 대규모 연구 보고에 의하면 유방암/난소암의 위험률이 연령에 높아짐에 따라 증가하는데 BRCA1 변이 보인자의 경우 80세까지 유방암, 난소암 위험률이 72%, 44%까지 증가하고, BRCA2 변이 보인자인 경우 69%, 17%까지 증가합니다. 또한, 이미 유방암으로 진단을 받은 보인자의 유방암의 위험도는 첫번째 유방암 진단 약 40년 후 최대 65%까지 증가합니다. 또한 다른 암의 위험률도 유전자변이가 없는 사람들과 비교했을 때 발병 위험이 2-6배 높아질 수 있습니다. 만약, 가족에게도 같은 BRCA 유전자변이가 있는 경우, 이러한 암 발생 위험도가 높아져 있다는 것을 의미합니다."

BRCA1 변이가 있는 경우 평생 유방암에 이환될 확률은 72%(65-79%)가량 되며, 한국 일반 여성의 확률이 3%인 것에 비해 증가되어 있다. 유방암에 이환된 경우 약 40년 이후 반대편 유방에 발생할 확률은 53%(44-62%)이다. 난소암의 위험은 44%(36-53%)이며, 대장암의 위험은 약간 증가된다. *BRCA2* 변이가 있는 경우 평생 유방암에 이환될 확률은 69%(61-77%)이며, 유방암에 이환된 경우 약 40년 이후 반대편 유방에서 발생할 위험은 65%(25-98%)이다. 난소암의 위험은 17%(11-25%)이며 대장암의 위험은 약간 증가된다.

국내 보고에 의하면 *BRCA1* 변이 여성의 경우 70세까지 유방암의 발생위험률은 72.1%(59.5-84.8%), 난소암의 발생위험률은 24.6%(0-50.3%)였으며, *BRCA2* 변이의 경우에는 각각 66.3%(41.2-91.5%), 11.1%(0-31.6%)로 서구와 유사한 결과를 보였다. 남성의 경우 비보인자의 평생 동안 유방암 위험률은 0.1% 정도이나, *BRCA1* 유전자변이가 있는 경우 약 1.2%, *BRCA2* 유전자변이가 있는 경우 6.8-8.4%, 전립선암의 발생 위험률은 65세까지 약 15%이다.

BRCA1/2 유전자의 변이는 유방암, 난소암 또는 남성 전립선암의 발병위험뿐만 아니라 자궁내막암, 췌장암, 담도암, 대장암 등 다양한 암의 위험도를 높이는 것으로 알려져 있다. 따라서 유전성 유방/난소암 가계를 확인하고 이들을 관리하는 것은 이미 암이 발병한 개인뿐 아니라 암에 이환되지 않은 가족의 암 관리와 예방을 위해서 매우 중요한 과정이라 할 수 있다.

검사결과	발생암	현재연령	30세		40세		50세		60세		70세	
			평균	95% CI	평균	95% CI	평균	95% CI	평균	95% CI	평균	95% CI
BRCA1	유방암	20세	1.8	1.4-2.2	12	9.5-14	29	24-35	44	37-52	54	46-63
		30세			10	8.2-13	28	23-34	44	36-52	54	45-63
		40세					20	16-25	38	31-45	49	41-58
		50세							22	18-27	37	30-44
		60세									19	15-24
	난소암	20세	1	0.68-1.8	3.2	2.3-5.1	9.5	7.3-13	23	18-28	39	34-44
		30세			2.2	1.6-3.4	8.7	6.7-12	22	18-27	39	34-43
		40세					6.7	5.2-8.9	20	17-24	38	33-41
		50세							15	12-17	34	29-36
		60세									22	20-23
BRCA2	유방암	20세	1	0.78-1.4	7.5	5.8-9.8	21	17-26	35	28-42	45	38-53
		30세			6.6	5.1-8.6	20	16-26	35	28-42	45	39-53
		40세					15	12-19	30	24-36	42	34-49
		50세							18	15-22	32	26-28
		60세									17	14-20
	난소암	20세	0.19	0.09-0.5	0.7	0.37-1.5	2.6	1.5-4.5	7.5	5.1-11	16	12-20
		30세			0.52	0.28-1.0	2.4	1.5-4.5	7.4	5.1-11	16	12-20
		40세					1.9	1.2-3.2	7	4.8-10	16	12-20
		50세							5.2	3.7-7.2	14	11-17
		60세									9.8	7.8-11

"유전자변이가 있다고 해서 모든 사람이 암에 걸리는 것은 아니며, 연령에 따라 위험도가 달라집니다. 연령이 20대인 분의 앞으로의 위험도와 50세까지 유방암에 걸리지 않고 건강하게 지내셨던 분의 앞으로의 암 위험도는 다릅니다. 위 그래프를 참고하면 ○○○님의 경우는 70세까지 생존할 경우 유방암이 발생할 확률 ○○%, 발생하지 않을 확률 ○○%이고, 난소암이 발생할 확률 ○○%, 발생하지 않을 확률은 ○○%입니다."

위험도를 설명할 때는 평생 70세까지 살 경우를 가정한 누적 발생률임을 강조해야 하며, 환자의 연령에 맞추어 위험도가 달라질 수 있음을 충분히 설명해야 한다. 위험도를 인지하는 데는 개인차가 있을 수 있으며, 나이, 교육정도, 성별, 질병에 이환된 가족과 닮았다는 인식, 질병에 관한 지식 정도, 주변인의 경험, 언론의 집중 보도 등 여러 인자가 관여한다.

설명할 경우의 요령은

1) 내담자의 특성을 파악하고

2) 질병에 관해 어떤 지식을 가지고 있는지를 파악하며

3) 시간에 쫓기지 말고 여유있게 하며

4) 용어를 정확히 사용하여 그 단어가 의미하는 것과 그렇지 않은 것에 대해 구분해서 설명하며 (예: 유전자변이가 있을 확률은 50%이지만, 암에 걸릴 확률과는 다릅니다)

5) 위험도에 대한 설명을 명확히 하여 여러 측면(예: 병에 걸릴 확률은 30%이며 그렇지 않을 확률은 70%입니다)으로 말하는 것이다.

- 유방암/난소암 발생 감시

- 약제를 이용한 예방법

- 예방적 수술법
  - 유방절제술
  - 난소난관절제술

더 확실한 예방법!

"유전자변이가 발견되고 현재 유방암이 있는 경우, 유방암과 난소암뿐만 아니라 다른 암의 위험도 증가할 수 있는데, *BRCA1*의 경우 대장암과 전립선암이, *BRCA2*의 경우 대장암, 전립선, 췌장암, 담낭암, 담관암, 위암, 악성 흑색종의 발병 위험이 증가할 수 있습니다. 일반인보다 증가된 암 위험에 대해서 취할 수 있는 의학적 조치는 생활 습관의 개선과 함께 철저한 검진과 화학적 예방법, 예방적 수술 등이 있으며, 이에 대해서 설명드리겠습니다."

- **호르몬 요인**
  정상적인 생리과정에서 작용하는 여성호르몬, 경구피임약,
  폐경 후 호르몬 치료 등에 오랫동안 노출되는 경우 유방암의 위험 증가

- **출산/모유 수유**
  일반적으로 출산과 모유 수유는 유방암 발병 위험 감소

	일반인		BRCA1		BRCA2	
	유방암	난소암	유방암	난소암	유방암	난소암
출산	40세 이후 발병 위험 감소	위험 감소	4명 이상 출산 시 위험 감소	위험 감소	출산에 따른 위험 증가	명확하지 않음
모유 수유	중등도 감소	감소하는 경향	위험 감소	약간 감소	감소 효과 없음	위험 증가 없음

　

"여성호르몬에 오래 노출되면 유방암의 위험이 증가합니다. 경구피임약이나 폐경 후 호르몬 치료 등에 영향을 받을 수 있습니다. 또한 출산과 모유 수유는 유방암의 위험을 감소시킬 수 있습니다. 일부 연구에서 *BRCA1* 보인자의 경우 4명 이상 출산 시에는 유방암 위험이 감소되는 것으로 보고되고 있으며, *BRCA2*에서는 출산에 따라 유방암의 위험이 증가할 가능성도 있습니다. 모유 수유는 *BRCA1* 보인자의 경우 유방암과 난소암의 발생 위험을 감소시키는 경향이 있으나 *BRCA2* 보인자에서 유방암 위험 감소 효과는 없는 것으로 나타났습니다."

- 음주
  - 하루 2잔 미만의 적은 음주에도 유방암 발생 위험 증가
  - 음주량이 늘어날수록 유방암 발생 위험 증가
- 비만
  - 폐경 후 여성의 비만은 유방암 발생 위험 증가
  - 유방암 예방을 위해서는 적정 체중을 유지하는 것 중요
- 신체 활동
  - *BRCA* 보인자에서 적당한 운동이 유방암의 위험 감소
  - 일주일에 적어도 3번 이상
  - 하루에 30분 이상 땀이 날 정도의 운동은 유방암 위험 감소
- 흉부 X선 촬영
  - *BRCA* 보인자의 사춘기 이전에 흉부 X선 촬영은 유방암 위험 인자
  - *BRCA* 보인자의 경우 청소년기의 흉부 X선 촬영에 유의

"음주나 비만 등도 유방암의 위험을 증가시킬 수 있다고 보고되고 있습니다. 건강한 식생활과 적당한 운동이 건강을 유지하는 데 도움이 될 수 있습니다."

"*BRCA* 유전자의 변이가 있는 여성에서 적당한 운동이 유방암의 위험을 낮추는 것으로 알려져 있습니다. 일주일에 적어도 3번 이상 하루에 30분 이상 땀이 날 정도의 운동은 유방암의 위험을 감소시킬 수 있습니다. *BRCA* 보인자에서 사춘기 이전에 흉부 X선 촬영을 하는 것은 유방암의 위험인자입니다. 그러므로, *BRCA* 보인자의 경우 청소년기에 흉부 X선 촬영 시 유의할 필요가 있습니다."

같은 *BRCA1/2* 변이를 보이는 가계 내에서도 개인별로 발생하는 암이나 발생 연령이 다를 수 있다. 유전자 간의 상호작용(gene-gene interaction)이나 유전과 환경의 관계, 나이, 생식인자, 생활 습관 등이 그 원인이 될 수 있다. 문헌에 따르면 12세 이전에 초경을 시작한 경우 유방암의 위험이 높아지며, *BRCA2* 변이의 경우 출산 연령이 높으면 유방암의 위험이 증가하며, *BRCA1*의 경우 30세 이후의 출산이 20세경에 출산하는 것보다 위험이 감소하는 결과를 보였다. *BRCA1* 보인자에 있어 임신은 4회의 출산이 있기까지는 유방암의 위험성의 감소가 없으며 그 이상의 출산에서는 미세한 유방암의 위험도의 감소가 보였다. 그러나 *BRCA2* 보인자에서는 각각의 임신에 통계적으로 유의한 유방암 위험도의 증가가 관찰되었다. *BRCA1* 보인자에서는 출산 후 모유 수유가 유방암 위험도를 감소시키나 *BRCA2* 보인자에서는 감소 효과가 없는 것으로 보고되고 있다. *BRCA1* 보인자에서 1년 이상 모유 수유를 한 경우에서는 모유 수유를 하지 않은 경우보다 유방암의 발생에 있어 40%의 감소를 보인다. 피임약을 사용한 경우 난소암의 위험은 감소하였으나 유방암의 위험은 증가하였다.

BRCA2 유전자의 중심부에 변이가 발생한 경우(ovarian cancer cluster region, OCCR) 5' 이나 3' 말단부에 비해 유방암의 위험은 크게 감소하나 난소암의 빈도는 크게 증가하고 남성에서 전립선암이 증가함을 볼 수 있었다. 그러나 현재 유전자변이의 위치에 근거한 위험도를 환자에게 제공하지는 않고 있다. *HRAS1*, *CYP1A1* 등이 유전적 조절자로서 연구되고 있다.

일반인을 대상으로 한 연구에 따르면 하루에 1-2잔 정도의 술이 유방암의 위험을 30-50%까지 증가시키는 것으로 보고되었으나, 음주와 유방암의 관계는 아직 명확하게 밝혀지지 않았다. 또한 1주일에 5시간 이상 운동한 여성에서 유방암의 위험이 감소되었다는 결과도 있으며, 저지방 식사(신선한 과일, 채소, 곡물)가 유방암 감소에 영향이 있다는 보고도 있다. Vitamin D 섭취나 합성이 증가되는 경우 유방암의 위험이 감소된다는 연구가 있다.

여성 보인자의 유방암/난소암 발생 감시

- 일반인들보다 빠른 나이에 시작
- 가족력이 있는 경우, 가족 진단 나이보다 5-10년 먼저 시행

암종	시 기	유전자변이 보인자	일반인 검진
유방암	만 18세부터 매월	유방 자가검진 (월경 후 3일째)	30세부터 매월
	25~29세, 6개월마다	전문의에 의한 임상진단	35세부터 2년마다
	25~29세, 1년 간격	유방 MRI	
	30~75세, 1년 간격	유방촬영과 유방 MRI (6개월 간격으로 번갈아 시행)	40세부터
난소암	30세부터 6개월 또는 매년	난소암 검진 (CA125, 경질초음파(TV-USG))	-

"유방암/난소암에 대해 일반인보다 이른 나이에 자가검진과 매년 유방촬영, MRI 검사를 시행하고 난소암 검사를 합니다. 그러나 이는 최대한 조기에 발견하기 위한 검진으로 치료나 예방은 아닙니다.

만 18세부터 매월 유방 자가검진이 추천되고, 25세부터는 6개월 간격으로 전문의에 의한 유방진찰을 받고, 매년 유방촬영 및 MRI 검사가 암의 조기발견에 도움이 됩니다.

난소암의 경우 선별검사가 암의 조기발견에 도움이 되지는 않지만, 예방적 난소난관절제술을 받지 않는 경우에는 30세부터 1년에 2회 정도 산부인과 검진을 받으시고 암 표지자 검사(혈액검사)와 함께 경질초음파를 시행하는 것이 도움이 됩니다."

- 위암, 대장암, 췌장암, 담낭암, 담관암에 대한
  위험성이 일반인보다 높으므로 정기적인 진찰과
  검진 필요

- 내시경
  - 위 : 40세 이상 2년마다
  - 대장 : 40세 이상 5년마다

- 기타 가족 내 호발암 : 개별화된 검진 원칙이 필요

"위암, 대장암, 췌장암, 담낭암, 담관암에 대한 위험성이 일반인보다 높으므로 정기적인 진찰과 검진이 필요합니다."

〈암 선별검사와 정기검진〉

만 18세 이상의 성인 여성 보인자는 매달 자가 검진을 시행하도록 교육한다. 25세가 되면 임상의에 의한 유방진찰을 시작하며, 빈도는 일반적으로 1년에 2회 정도를 권하고 있다. 30세 이전 여성의 경우 방사선 노출이 유방암의 위험도를 증가시킬 수 있으므로, 25세에서 29세 사이 여성은 매년 유방자기공명영상(MRI)을 시행하며, 30세에서 75세 여성은 1년 간격의 유방촬영술과 유방자기공명영상(조영증강)을 시행한다. 유방자기공명영상의 민감도는 77-94%로 높으나 유방초음파의 민감도는 33-65%에 불과해 유방자기공명영상 대신 유방초음파를 *BRCA* 보인자의 효과적인 검진에 활용하기에는 한계가 있다. 유방자기공명영상은 생리주기에 따른 유선의 변화에 영향을 받으므로, 검사시기는 폐경 전 여성의 경우 생리주기 7-15일로 권고한다. 75세 이상의 여성에서는 개별화한 유방암 검진을 고려한다.

난소암에 대한 검진으로 30세부터 경질초음파(transvaginal ultrasound)와 CA125 혈액검사를 시작하도록 하고 있으나, 현재까지의 연구 결과로는 난소암 검진이 양측 난소난관절제술을 대체할 만한 근거가 부족하다. 경질초음파의 경우 생리주기의 1-10일에, CA125 혈액검사의 경우 생리주기의 5일 이후에 시행하기를 권고하며, 유방 MRI를 포함한 세가지 검사를 위해 생리주기 7-10일에 시행하는 것이 용이할 수 있다. 각 검진의 시작 시기와 빈도에 대해서는 가계 구성원의 암 발생력을 철저히 조사하여 이에 근거한 개별화된 원칙을 정하는 것이 필요하다. 원칙적으로 유방암이나 난소암에 대한 상기 기술한 검진 원칙은 위험감소수술을 시행하지 않은 보인자에 대한 여러 관리 방안 중 하나가 될 수 있으며 예방적 화학요법과 위험감소수술 방안과 함께 그 효과와 비용이 종합적으로 고려되어야 한다. 여성 보인자에 대한 철저한 유방암 검진이 유방암 관련 사망률을 감소시키는지에 대한 무작위 임상 시험 결과는 없다. 특히 난소암의 경우에는 난소암 관련 사망률을 감소시키기 위한 상기 검진의 효과는 매우 미미하다고 판단된다.

NCCN guidelines Version 2.2021
BRCA-Pathogenic/Likely Pathogenic Variant Positive Management

<여성의 경우>
- 18세부터 월 1회 유방자가검진
- 25세부터 6-12개월마다 전문의에 의한 유방진찰
- 유방검진: 25-29세: 매년 유방 조영증강 MRI (MRI가 어려운 경우 토모신테시스를 고려한 유방촬영) 또는 (30세 이전에 진단된 경우) 가족력을 고려한 개인별 검진 일정: 30-70세: 매년 토모신테시스를 고려한 유방촬영과 유방 조영증강 MRI: >75세: 개인의 상황에 따른 관리: 유방암 치료 중이나 양측 유방절제술을 시행하지 않은 BRCA 유전자의 pathogenic/likely pathogenic 변이가 있는 여성은 매년 토모신테시스를 고려한 유방촬영과 유방 조영증강 MRI
- 예방적 유방절제술의 고려: 예방의 정도, 재건 여부, 위험성에 관한 상담이 필요하며 가족력과 나이에 따른 잔존 유방암 위험과 기대 수명도 상담에 포함되어야 함
- 분만을 완료한 35-40세 여성에게 예방적 난소난관절제술(RRSO) 권유. BRCA2 유전자의 pathogenic/likely pathogenic 변이 보인자는 BRCA1 보인자에 비해 평균 8-10년 뒤에 난소암이 발생하므로 BRCA2 보인자의 난소암 관리를 위한 예방적 난소난관절제술은 가족의 최연소 진단 나이를 고려하여 40-45세까지 늦출 수 있음
- 임신 계획, 암의 위험 범위, 유방암과 난소암의 예방 정도, 폐경기 증상 관리, 호르몬 대체 치료 및 관련 의학적 사안에 대한 논의가 포함되어야 함
- 난관절제술과 지연 난소절제술에 대한 임상 시험이 진행되고는 있으나 단독적인 난관절제술은 위험 감소 치료의 표준은 아님. 단독적인 난관절제술에 대한 우려는 여성에게 난소암 발달 위험이 잔존한다는 것임. 폐경 전 여성의 난소난관절제술은 유방암 위험을 감소시키는 것으로 보이나 그 정도는 불확실하고 유전자 별로 다를 수 있음
- 제한적인 데이터이지만 BRCA1 pathogenic/likely pathogenic 변이를 가진 여성들에게서 장액성 자궁암 위험이 다소 증가될 수 있다고 제시되나 임상적 유효성은 불확실하여 추후 BRCA군에서 장액성 자궁암 위험의 평가가 필요함. 의료진과 환자는 수술 전 BRCA1 pathogenic/likely pathogenic 변이를 가진 여성의 RRSO와 자궁절제술을 동시에 시행하는 것에 대한 위험과 이득을 논의해야 함. RRSO와 자궁절제술을 받은 여성은 에스트로겐 단독 호르몬 대체 치료의 대상이 되고 이는 자궁이 있을 때 하는 에스트로겐과 프로게스테론 조합과 비교해서 유방암 위험 감소와 관련 있음
- 예방적 유방절제술 및 또는 난소난관절제술 시행 시 사회심리학적 및 삶의 질 측면을 설명해야 함
- 예방적 난소난관절제술을 선택하지 않은 경우 이득이 불확실하더라도 임상의의 의견에 따라 30-35세부터 난소암 검진을 위한 CA125 측정과 함께 경질초음파를 시행

– 유방암과 난소암에 대하여 선택안으로 위험과 이득에 대한 논의 후 화학적 예방법을
  고려

<남성의 경우>
– 35세부터 매달 1회 유방 자가검진 및 교육
– 35세부터 12개월마다 전문의에 의한 유방진찰
– 여성형 유방인 경우, 50세부터 또는 가족 중 남성 유방암으로 진단된 나이보다 10년 일
  찍부터 매년 유방촬영
– 40세부터 (전립선암 조기 발견을 위한 가이드라인 참조)
  : *BRCA2* 보인자는 전립선암 검진 권유
  : *BRCA1* 보인자는 전립선암 검진 고려
– 전립선암 검진: 40세부터 PSA 검사와 직장수지검사 동시 시행

<여성과 남성>
– 가능한 경우 새로운 영상 검진 기법이나 보다 빈번한 주기 등의 영상과 검진의 임상연
  구의 참여를 고려
– 암의 증상과 징후, 특히 *BRCA* 유전자의 pathogenic/likely pathogenic 변이와 관련된
  교육이 필요
– 흑색종에 대한 특별 검진 가이드라인은 없으나 매년 전신 피부 검진과 자외선 노출 최
  소화와 같은 일반적인 흑색종 위험 관리가 적절.
– 췌장암 검진 권고사항은 PANC-A를 참조

<가족>
– 가족과 친족에게 가능할 수 있는 유전성 암의 위험, 위험 평가에 대한 선택지 및 관리에
  대하여 알려줌.
– 위험도가 높은 가족과 친족들에게 유전상담과 유전자검사를 권유

- **타목시펜과 유방암 예방**
  - 유방암과 반대편 유방암 발생 위험을 약 50% 낮춤
  - *BRCA1* 유전자변이 보인자에서 효과가 불확실
  - 드물게 자궁내막암 및 혈전증의 위험을 높임

- **피임약과 난소암 예방**
  - 난소암의 위험을 50% 낮춤
  - 유방암의 발생률을 높일 수 있음

"타목시펜(tamoxifen)을 복용하는 경우 유방암 발생률과 반대편 유방암의 발생을 50% 이상 낮출 수 있습니다.

난소암 예방을 위해서 피임약을 복용할 수도 있으며 난소암의 발병을 약 50%가량 낮춘다고 보고되어 있습니다. 그러나 타목시펜의 경우 자궁내막암의 증가, 장기간의 피임약 복용은 유방암 발생이 증가될 수 있기 때문에 복용하기 전 충분한 고려가 필요합니다."

유방암의 약물예방요법은 지속적인 연구로 인해 많이 사용되고 있으며 tamoxifen은 유방암의 위험을 50% 감소시켰다. tamoxifen이 암이 발생하지 않은 *BRCA1/2* 변이 보인자에서 유방암의 위험을 감소시키는지에 대한 연구는 거의 없다. King 등은 건강한 *BRCA2* 보인자에서 62%의 유방암 위험을 낮추는 것으로 보고하였으나 작은 수에 기초한 연구이므로 통계적 의의가 없었다. *BRCA* 변이 보인자에서 tamoxifen은 편측 유방암의 위험을 최소 50% 감소시키는 것으로 보고되었다. tamoxifen의 예방적 복용이 ER양성 유방암을 감소시키며, *BRCA1* 유방암의 17-24%, *BRCA2* 유방암의 76-78%가 ER양성을 보이므로 tamoxifen의 사용이 *BRCA1*보다 *BRCA2* 보인자에 있어서 더 유리할 수 있다. 환자의 나이, 인종, 유방암에 대한 개인적 위험도를 고려하여 tamoxifen의 위험과 이득을 설명해야 한다.

난소암에 대한 화학적 예방요법은 경구피임약의 형태이며, 6년 이상 사용하는 경우 *BRCA* 변이 보인자의 난소암의 위험을 60%감소시킨다. 그러나 *BRCA* 변이 보인자에서 피임약 복용이 유방암의 위험을 높일 가능성이 있다는 주장이 있으며, 난소암의 위험을 감소시키는 것에 대해서는 아직 논란이 있다.

- 예방적 유방절제술
  - 가장 확실한 유방암 예방법
  - **유방암의 위험을 90-95% 이상 낮춤**
  - 생존율 이득은 불명확
  - 유두보존 유방절제술 후 유방재건술 가능
  - 자가조직 / 조직확장기 / 즉시 유방보형물 삽입
  - 반대편 유방절제술, 반대편 유방재건술도 보험 적용

"암 위험을 감소시키기 위한 또 하나의 방법으로 예방적 수술법이 있습니다. 예방적 수술로 암을 100% 방지할 수는 없으나 위험 방지에 가장 효과적입니다.

예방적 유방절제술은 유방암 위험의 **90-95%**를 낮춥니다."

- **예방적 난소난관절제술**
    - 대상: 35-45세, 출산을 마친 여성
    - **난소암의 위험을 80-85% 낮춤**
    - **유방암과 반대편 유방암 위험도 동시에 50% 낮춤**
    - 사망률 감소 효과
    - 복강경 시술로 가능

"예방적 난소난관절제술은 유방암의 위험을 **50%**, 반대편 유방암 발생 위험도 58% 낮추며, 35–45세 사이에 출산이 끝난 경우에 시행하실 수 있습니다.

유방암 위험, 반대편 유방암뿐만 아니라 난소암을 약 80–85% 예방할 수 있으며 사망률도 감소효과를 기대할 수 있으나 복강 내 남아있을 수 있는 난소 조직에서 난소암이 발생할 수 있어 100% 난소암을 예방할 수 없습니다."

30세의 *BRCA* 유전자변이 여성이 예방적 유방절제술을 받을 경우 3–5년의 생존 이득이 있으며, 예방적 난소난관절제술을 시행할 경우 0.3–2년의 이득이 있다. 연령이 높아질수록 이득은 낮아지며 60세에 시행하는 경우 거의 줄어든다. 40세에 예방적 유방절제술과 난소난관절제술을 동시에 시행하면 *BRCA1*에서 24%, *BRCA2*에서 11%의 생존 효과가 있으며, 25세에 유방절제술을 시행하고 40세에 난소난관절제술을 시행하면 1–2%의 추가적인 효과가 있는 것으로 나타났다. 유방절제술을 시행하지 않고 선별검사로 대체한다면 2–3%의 감소를 보였다. 예방적 수술 여부는 환자의 연령과 개개인의 상태를 고려하여 결정해야 한다.

BRCA1/2 변이가 있는 여성에서는 유방암과 난소암(난관암과 원발성 복막암도 포함)의 위험이 증가한다. 난소암의 위험도는 유방암의 위험도보다는 적으나, 조기 발견이 어렵고 불량한 예후 때문에 분만을 완료한 여성의 경우 양측성 난소난관절제를 권유하고 있다. Rebbeck 등의 연구에 따르면 *BRCA1/2* 변이 보인자 여성에서의 평균 난소암 발생 연령은 50.8세로 나타났다. *BRCA1/2* 유전자변이 보인자를 대상으로 한 연구의 메타분석에 따르면, 예방적 난소난관절제술로 인하여 난소암과 난관암의 위험을 80% 낮출 수 있었다. 그러나 원발성 복막암(primary peritoneal cancer)의 위험도는 14.3% 정도 보고되기도 하였다. 최근의 메타분석에서 예방적 난소난관절제술은 유방암 발생의 위험을 50% 낮추는 것으로 보고되었다. 최근의 전향적 코호트 연구에서 예방적 난소난관절제술은 *BRCA2*에서보다 *BRCA1*에서의 위험도 감소 효과가 큰 것으로 나타났다. 유방암의 위험도 감소는 난소를 제거함에 따라서 호르몬 노출이 적어지는 데 원인이 있을 수 있다.

예방적 난소난관절제술을 시행하는 경우 조기폐경으로 인한 심장질환과 골다공증의 위험 증가, 인지변화, 급격한 골 감소, vasomotor symptom 등이 발생할 수 있다. 예방적 난소난관절제술을 받은 환자에서의 단기간 호르몬 대체요법이 유방암 예방 효과를 감소시키지 않는다는 보고가 있다. 또한 최근 *BRCA1* 유전자변이 보인자를 대상으로 한 환자 대조군 연구에서 폐경 후 호르몬 대체요법이 유방암의 위험과 관계가 없다는 결과가 보고되었다. 그러나 이러한 연구들이 무작위 연구가 아니기 때문에 호르몬 대체요법을 선택할 때는 신중해야 한다.

BRCA1 변이 보인자의 경우 난소암의 위험이 40세 이전에도 보고되므로 난소난관절제술을 위해서 폐경기까지 기다릴 필요는 없다. 또한 폐경 전 여성이 일찍 난소난관절제술을 받을 경우에 유방암의 위험 감소도 기대할 수 있다. 수술 후에도 복강 내 복막에서 암이 발생하는 경우가 있으며 수술 후 20년 누적위험도는 4.3%이다. 또한 예방적 난소난관절제술은 유방암의 위험을 50% 감소시켰다. 그러나 수술 후 폐경증상의 효과를 감소시키기 위한 호르몬 대체요법이 유방암의 위험요인으로 우려되고 있다. 최근 *BRCA1/2* 변이 보인자에서 단기간의 호르몬 대체요법이 난소난관절제술로 인한 유방암 억제 효과를 감소시키지 않는다는 보고가 있었다. 최근의 연구 결과에 따르면 예방적 수술을 선택하는 경우가 생존 이득이 있었다. 예방적 수술이 생존 이득이 있다고 할지라도, 환자의 삶의 질에 영향을 미치며, 위험과 이득, 한계 등을 설명하는 것이 중요하다. 또한 잠재암이 17%에서 발견된다는 보고가 있으므로 예방적 수술 후 검체를 철저히 확인하여 잠재암의 위험을 확인하는 것이 중요하다.

예방적 난소난관절제술의 사망위험 감소율

- *BRCA* 보인자에서 예방적 난소난관절제술 시행 후 전체 사망률 감소 효과 기대

추적관찰 6년	사망자수		
예방적 난소절제술	전체 (2482명)	예방적 난소절제술 전	
		유방암 없음	유방암 있음
미시행	146/1489명 **10%**	60/1011명 **6%**	92/576명 **16%**
시행	**3%** 31/993명	**2%** 8/447명	**4%** 19/451명
사망위험 감소율	**60%**	**55%**	**70%**

Domchek et al., JAMA 2010;304(9):967

"예방적 난소난관절제술은 *BRCA* 유전자변이가 있는 경우 전체 사망률 감소 효과를 기대할 수 있습니다. 서구의 연구결과를 보면, 난소난관절제술을 시행한 경우 시행하지 않은 군에 비하여 사망위험도가 60% 감소했고, 이는 유방암 환자군에서 감소율 효과가 조금 더 높았습니다."

예방적 유방절제술의 부작용

- **예방적 유방절제술을 시행한 다수의 환자들이 자신의 결정에 만족**
  - 유방암 발병 위험 감소
  - 건강에 대한 염려와 불안 감소
- **일반적인 수술 및 마취 후 합병증**
- **예방적 수술 후 성적 만족도 감소 가능성**
- **약 5%의 환자는 자신의 선택을 후회 !!**

예방적 수술 전
충분한 상담이 필요합니다.

"예방적 유방절제술을 시행한 다수의 환자들이 유방암 위험도와 건강에 대한 과도한 불안감에서 해방되어 자신의 결정에 만족하지만 5%의 환자는 돌이킬 수 없는 결정을 후회한다고 보고되고 있습니다.

예방적 수술 후 여성성을 상실한 느낌, 성관계의 문제점, 일상의 스트레스 및 자신감 상실 등의 부작용이 나타날 수 있습니다. 유방암과 난소암 치료뿐만 아니라 예방적 유방 및 난소난관절제술을 결정하는 것은 쉬운 일이 아닙니다. 그러므로 수술 전 상담 시 통합 진료를 통해 충분히 상의해야 하고 정신심리학적 평가와 정신적 지지가 필요한 경우도 있습니다. 충분한 시간을 가지고 결정하는 것이 좋습니다."

예방적 난소난관절제술의 부작용

- **조기폐경**
  - 안면 발적, 성교 시 불편감, 수면장애 등
  - 뼈와 혈관을 보호하는 여성호르몬이 급감하므로, 골다공증과 관상동맥질환 및 뇌졸중의 가능성 증가

- **짧은 기간 호르몬 대체 치료 가능**

예방적 수술 전
충분한 상담이 필요합니다.

"예방적 난소난관절제술을 시행하는 경우는 조기 폐경의 문제가 있을 수 있습니다. 짧은 기간 호르몬 대체 치료를 할 수도 있으며 이때는 크게 유방암의 위험을 증가시키지는 않는 것으로 보고되고 있습니다.

수술에 따른 합병증이 있을 수 있으므로 산부인과 선생님과 충분히 상담 후 신중히 선택하여 결정하는 것이 좋습니다."

2) 남성 보인자를 위한 안내

양성

- 유방암 관련 유전자변이가 발견된 경우

  - 여성 보인자를 위한 안내
  - 남성 보인자를 위한 안내

"○○○님의 경우 ○○ 결과는 이 ○○ 결과에 해당이 됩니다."

유방암 · 전립선암 · 췌장암의 위험률

- 평생 유방암의 위험률
    - *BRCA2* : **6.5%** / *BRCA1* : **1.2%**
    (일반인 0.1%)

- 전립선암의 위험이 증가
    - *BRCA2* : **15%** / *BRCA1* : **다소 증가**

- 췌장암의 위험 증가
    - *BRCA* 보인자의 **10%**

"유전자변이가 없는 일반 남성에서의 평생 유방암이 걸릴 확률은 0.1%로 알려져 있습니다. 이에 비해 *BRCA* 유전자변이가 있는 남성의 평생 유방암 위험률은 일반인보다 높게 보고되고 있습니다. 남성의 경우 *BRCA2* 보인자의 경우 *BRCA1* 보인자에 비하여 위험도가 높습니다. 전립선암의 위험도 일반 남성보다 2-6배 높아집니다."

남성 보인자의 유방암/전립선암 발생 감시

- 일반인들보다 빠른 나이에 시작
- 가족력이 있는 경우, 가족 진단 나이보다 5-10년 먼저 시행

암종	시기	유전자변이 보인자
유방암	35세부터, 매월 정해진 날	규칙적인 유방 자가검진
	35세부터, 12개월 간격	전문의에 의한 임상진단
	여성형 유방인 경우, 50세부터	유방촬영
전립선암	40세부터, 1년 간격 *BRCA2* 보인자 : 검사 권고 *BRCA1* 보인자 : 검사 고려	직장수지검사(DRE) 전립선특이항원(PSA) 혈액검사 직장초음파

"따라서 *BRCA* 남성 보인자(특히, *BRCA2*)는 유방암 발생 감시를 위해 매달 정해진 날짜에 규칙적으로 유방 자가검진을 하며, 35세 이후에는 12개월 간격으로 전문의에 의한 유방 진찰을 받습니다.

또한 전립선암의 검진으로는 40세부터 1년 간격으로 비뇨기과에서 직장수지검사와 전립선특이항원 혈액검사, 직장초음파 검사를 시행합니다.

유방암, 전립선암뿐만 아니라 다른 암의 위험도 증가할 수 있으므로, 위암, 대장암, 췌장암, 담낭암, 담관암, 피부암에 대한 위험성이 일반인보다 높아 정기적인 진찰과 검진이 필요합니다.

40세 이상부터 1년마다 위 내시경을, 40세 이상부터 5년마다 대장내시경을 시행하여 검진하는 것이 좋습니다."

- 직장수지검사(항문에서 직장 속으로 손가락을 넣어 전립선 상태 검사)
- PSA검사(전립선특이항원검사): 4.0 ng/mL 이상, PSA농도에 영향을 줄 수 있는 많은 요인이 있기 때문에 비정상치가 반드시 전립선암이 있다고 의미하지는 않는다.

기타 암 검진

- 위암, 대장암, 췌장암, 담낭암, 담관암에 대한 위험성이 일반인보다 높으므로 정기적인 진찰과 검진 필요

- 내시경
  - 위 : 40세 이상 2년마다
  - 대장 : 40세 이상 5년마다

- 기타 가족 내 호발암 : 개별화된 검진 원칙이 필요

"위암, 대장암, 췌장암, 담낭암, 담관암에 대한 위험성이 일반인보다 높으므로 정기적인 진찰과 검진이 필요합니다."

- **부모 혹은 형제가 유방암 유전자변이가 있는 경우,
  자녀 혹은 다른 형제에 이 변이가 있을 확률은**
  개인마다 정확히 50%

- **가장 많은 도움을 받을 수 있는 가족에 대한
  유전자검사가 적극 권유**

- **미성년 자녀의 유전자 검사는**
  만 19세 이후, 성인이 된 본인이 결정

"가족 중 유전자변이가 확인된 경우 자녀나 다른 형제자매에서 이 변이가 있을 확률은 50%이므로 유전자검사로 가장 큰 이득을 입는 대상은 가족입니다. 가족에 대한 유전자 상담은 언제라도 가능하며, 유전자검사를 통해서 암 발생 위험에 대한 중요한 정보를 얻을 수 있고, 여러가지 의학적 조치를 받을 기회를 가질 수 있습니다. 미성년 자녀에게 유전자검사와 그 의미를 설명하는 것은 가능하나 유전자검사의 결정은 만 19세 이후에 성인이 된 본인이 자발적으로 시행하는 것이 합리적이며 또한 합법적입니다. 가족 구성원 중 추가적으로 유방암, 난소암 혹은 기타 암 환자가 발생하는 경우에는 반드시 주치의 또는 유전상담실로 연락을 주시기 바랍니다."

〈가족에 대한 정보 제공〉

유전상담사는 내담자의 사생활 보호, 자발성, 비밀유지를 존중할 의무가 있다. 그러나 환자가 가지고 있는 질환의 유전적 특성을 환자에게 알려주고 가족들과 유전정보를 공유하도록 설득하는 과정은 필수적이다. 예방적 수술이나 치료법이 있어 확실히 위험을 줄일 수 있다고 판단되는 경우, 가족에 대한 유전정보 공개를 더욱 더 적극적으로 고려해야 한다. American society of clinical oncology (ASCO)에서는 암 감수성 유전자검사를 시행할 경우, 본인과 같은 발병의 위험에 처해 있는 친족들에게 자신의 유전 정보를 공개하는 것이 중요하다고 알리도록 권고하고 있다.

〈자녀의 계획〉

BRCA1/2 변이가 있는 경우 상염색체 우성으로 유전되므로 자녀에게 유전자변이가 전달될 확률은 50%이다. 산전진단을 시행하거나 인공 수정 임신 시 착상전 유전자검사*를 시행한 사례가 보고되었으나 이는 윤리적 문제를 고려하여야 하며, 현재 우리나라 법률상 태아의 유전자검사는 매우 제한적으로 허용되므로 가능한 질환 목록의 신중한 확인이 필요하다(「생명윤리 및 안전에 관한 법률」 제50조제2항, 「생명윤리 및 안전에 관한 법률 시행령」 제21조의 규정).

양측 부모 모두 *BRCA2* 변이를 가지고 있거나 가지고 있을 가능성이 높은 경우 (특히 Ashkenazi 유태인의 경우) 자녀에서 변이의 2 copy를 모두 가지고 있을 경우 판코니 빈혈, 뇌종양, 유방암의 높은 빈도를 보이는 드문 열성 질환이 발생할 가능성을 주지해야 한다. 유전성 유방암 환자의 임신 전 선별검사와 선택적인 임신은 생물학적인 임신만의 문제이기도 하지만 윤리적인 측면에서의 환자 및 가족 구성원뿐 아니라 사회전체의 책임과 관련이 있으며, 유전성 유방암 보인자의 임신과 출산에 있어 유전자변이 전달 위험과 암 발생 위험에 관한 명확한 숙지가 필요하며, 유전상담 시 의학적 지식에 대한 정확한 전달과 교육이 중요하다.

무엇보다 유전자변이 보인자 본인과 함께 가족의 이해가 가장 중요하며 의학적 판단에 앞서 생명의 존중과 도덕적 가치의 판단이 우선되어야 한다.

*착상전 유전 진단(Preimplantation genetic diagnosis)은 체외 수정 후 3일째 또는 5일째 배아에서 세포 일부를 생검하여 태아의 염색체 이상 또는 유전자 이상을 배아 단계에서 확인하는 방법으로 다음과 같이 용어가 구분하여 사용된다.

PGT-M (Preimplantation genetic testing for monogenic/single gene diseases): 판코니 빈혈(Fanconi's anemia), 포이츠-제거스 증후군(Peutz-Jeghers syndrome)과 같이 유전자변이를 알고 있는 단일 유전자 질환의 자녀를 임신할 위험이 높은 부부에게 시험관 아기 시술을 하여 착상전 배아단계에서 이식이 가능한 배아를 선별하는 방법

PGT-A (Preimplantation genetic testing for aneuploidy): 배아 이식 시술 시 반복적인 착상 실패나 유산을 일으킬 수 있는 태아의 염색체 수적 이상을 착상전 배아단계에서 확인하는 선별검사

PGT-SR (Preimplantation genetic testing for structural rearrangements): 균형 구조적 이상 염색체를 가진 보인자는 불균형 구조적 이상 염색체를 가진 수정란으로 인하여 임신 초기 빈번한 유산이나 난임을 일으킬 수 있어 착상전 배아단계에서 확인하는 검사

다중유전자검사패널의 시행이 증가하면서 *BRCA1/2* 유전자 이외에 다양한 유전성 암 감수성 유전자에서 pathogenic 또는 likely pathogenic variants의 발견도 증가하고 있다. 발견된 변이에 대한 각 유전자 보인자에게 적절한 검사 후 유전상담이 필요하며 질환에 따라서는 포이츠-제거스 증후군, PTEN 과오종 종양 증후군 등처럼 희귀질환 또는 극희귀질환으로 분류되어 건강보험 산정특례의 혜택을 받을 수 있다. 해당 질환의 목록은 국민건강보험 홈페이지(https://www.nhis.or.kr)에서 공고되는 <희귀질환 및 중증난치질환 산정특례 대상질환 등록기준 및 필수검사항목>에서 확인할 수 있다.

유전자검사 결과와 의미

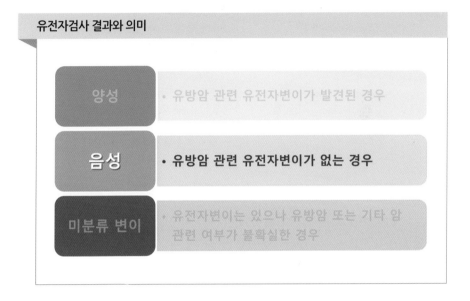

"유전자검사 결과는 보시는 것처럼 세가지 유형으로 나올 수 있는데 ㅇㅇㅇ 님의 경우 ㅇㅇ 결과는 이 ㅇㅇ 결과에 해당이 됩니다."

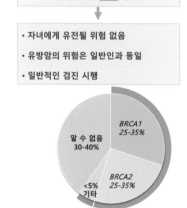

유방암 관련 유전자변이가 없는 음성

가족 중에 유전자변이가 발견된 적 있는 경우	가족 중에 유전자변이가 발견된 적 없는 경우
• 자녀에게 유전될 위험 없음 • 유방암의 위험은 일반인과 동일 • 일반적인 검진 시행	• 이 결과만으로 결론을 내리기 어려움 • 검사하지 않은 유전자나 변이의 유형 → 추가 검사 : MLPA, 다중유전자검사패널 • 아직 밝혀지지 않은 유전자의 원인 • 검사의 기술적 한계 • 필요시, 유전자 보인자에 준하여 검진 관리 ▪ **검사 후 상담이 꼭 필요합니다.**

BRCA1
25-35%

BRCA2
25-35%

알 수 없음
30-40%

<5%
기타

1) 음성 결과: 가족 중에 유전자변이가 발견된 적 있는 경우

"*BRCA1/2* 유전자변이가 발견되지 않았습니다.

○○○님의 경우는 가족 중에 유전자변이가 발견된 적 있으면서 *BRCA1/2* 유전자변이가 발견되지 않았기 때문에 유전성 유방암 증후군의 가능성이 현저히 낮습니다. 그리고 자녀에게 변이가 유전될 위험은 없습니다. 현재까지의 연구로는 암 위험도는 일반인 또는 일반 유방암과 유사하다고 합니다. 그러나 유방암의 원인은 다양하므로 유전자변이가 없다고 암에 걸리지 않는 것은 아닙니다. 따라서 유방암 검진을 하지 않아도 되는 것은 아닙니다."

가족 내 변이가 있으면서 음성 결과가 나온 경우 유방암과 난소암의 위험은 일반 인구와 동일하다. 그러나 일반인에서도 암의 위험은 있으며 그러한 위험을 배제할 수 있는 검사는 없다는 설명이 필요하다. 이러한 여성의 경우 일반적인 선별검사가 추천된다. 월 1회 유방 자가검진, 35세부터 2년 간격의 유방진찰, 40세 이상의 경우 매년 유방촬영을 시행한다. 이러한 경우 난소암 검진은 난소암 가족력에 따라 고려한다.

유전자변이가 있는 가족에서 음성 결과가 나온 비보인자의 경우 depression, functional impairment, cancer-specific distress가 보인자나 검사 미시행 그룹에 비해 감소된다고 알려져 있으나, survivor guilt, 변이가 있는 가족이 자신에게 가지는 반감에 대한 두려움, 정체성의 불안, 가족 중에 자신만 살아남을 것에 대한 외로움 등을 느낄 수 있어 정서적 지지가 필요하다.

2) 음성 결과: 가족 중에 유전자변이가 발견된 적 없는 경우

"*BRCA1/2* 유전자변이가 발견되지 않았습니다.

○○○님의 경우는 가족 중에 유전자변이가 발견된 적 없고 발단자(proband)로서 유전자변이 음성 결과를 받으셨으므로, 건강한 가족들은 *BRCA1/2* 검사를 받을 필요가 없습니다. 그러나 가족 내 다른 유방암/난소암 환자들은 이 가계 전체의 유전성 유방/난소암 증후군 위험도 예측을 보다 정확하게 하기 위해 *BRCA1/2* 검사를 고려해 볼 수도 있습니다. 이는 *BRCA* 유전자의 부분 결실이나 중복으로 인한 변이의 가능성 또는 *BRCA*가 아닌 다른 유전자로 인한 유전성 유방암일 가능성도 있을 수 있습니다. 이를 확인하기 위해서는 추가검사를 주치의 선생님과 상의하여 결정하실 수 있습니다."

가계 내에서 질병과 연관된 유전자변이가 발견되지 않은 경우나 다른 가족이 검사에서 음성이 나왔거나 결과를 알 수 없을 때 위와 같은 음성 결과가 나타날 수 있다. NCCN guideline에 의하면 암 위험이 강력히 의심되는 경우 가족 내 다른 암환자가 없으면 질환이 없는 다른 가족을 검사할 수도 있다. 가족 내에 증명된 변이가 없는 경우에 환자의 과거력이나 가족력이 위험도 판정에 이용된다.

질병이 발생한 환자의 경우에는 이 검사 결과가 환자의 암 이환 원인을 설명해줄 수 없으며 검사의 한계로 인하여 *BRCA1/2* 유전자의 변이를 검출하기 어려울 가능성도 생각해야 한다. 또한 유전성 유방암을 유발하는 다른 유전자가 그 원인일 수도 있다. 이러한 경우 고위험과 중등도 위험군을 구분하는 데 있어서 암의 과거력과 가족력을 고려해야 한다. 유방암 선별검사는 유방암에 이환된 가족의 수와 암이 진단된 나이에 기초해서 권유한다.

양성	• 유방암 관련 유전자변이가 발견된 경우
음성	• 유방암 관련 유전자변이가 없는 경우
미분류 변이	• **유전자변이는 있으나 유방암 또는 기타 암 관련 여부가 불확실한 경우**

"유전자검사 결과는 보시는 것처럼 세 가지 유형으로 나올 수 있는데 ○○○ 님의 경우는 미분류 변이 결과에 해당이 됩니다."

유전자변이는 있으나 유방암 또는 기타 암 관련 여부가 불확실한 미분류 변이

의학계 임상 연구 데이터 축적으로
유전자 변이의 임상적 재평가

미분류 변이 → 양성
미분류 변이 → 음성

유전자변이에 대한 분류 변경 시,
최신 임상 평가에 따른 유전상담이 필요

· 검사 후 상담이 꼭 필요합니다.

"BRCA1/2 유전자 중에 변이가 발견되었지만, 이 변이와 암과의 인과관계가 명확하지 않습니다. 이것은 임상적 의미가 불확실한 미분류 변이(variant of uncertain significance, VUS, unclassified variant, UV)라고 부릅니다. ㅇㅇㅇ님에게서 발견된 것 같이 의미가 불확실한 변이와 암과의 인과관계를 밝히고자 하는 노력이 과학계에서 계속되고 있으며, 연구 결과에 따라 유전성 유방암 증후군과 연관성이 밝혀질 가능성이 있습니다. 발견된 변이와 질병과의 연관성이 추가로 발견될 경우 검사를 시행한 주치의를 통해 새로운 정보가 전달될 것입니다."

VUS (variant of uncertain significancet)는 *BRCA* 유전자변이가 있으나 질병과의 임상적 연관성이 불명확한 경우를 말하며, 고위험 가족의 index case 중 8-15%에서 발견된다. 이들은 *BRCA* 단백구조를 변경시킬 정도의 큰 변이는 아니지만, 질병과 연관성이 있는지 양성 다형성(benign polymorphism)에 불과한지는 후속 연구를 통해 밝혀지게 될 가능성이 있는 변이이며, 대부분이 단일 염기쌍의 변화에 기인하는 과오변이(missense variant)인 경우가 많다. 변이가 단백질 전사에 핵심적인 부분에서만 발생하지 않는 경우는 대부분 단일 아미노산 변화만 발생하기 때문에 임상적 중요성이 거의 없는 것으로 간주되지만, *BRCA* 단백질 기능을 변화시킬 정도의 구조 변형이 있는지 없는지는 추가 연구가 필요한 부분이므로, 유전자변이 음성과 동등하게 다룰 수는 없다. 개별 VUS에 대해 보고된 정보를 취합하여 VUS를 좀 더 분류하려는 시도가 진행되고 있으며, IARC (international agency for cancer research)는 병인성 위험도에 따라 변이를 구분하려는 시도를 제시한 바 있다.

유전성 유방암 검사!
나와 우리 가족의
건강한 미래를 선택하는 결정입니다

IV

참고자료

가계도 작성 설문지 예시

일련번호	

유방암 관련 유전자검사용 병록 기록카드

유방암 등록양식

1) 기본정보

등록번호		의료기관		병원	담당의사	
성 명		성별/나이	/		상담자	
생년월일		휴대전화			상담일자	
검사명	채취일	결과 상담일	결과			재검
BRCA1/2 sequencing						
Cancer panel testing						
MLPA (BRCA1/2)						
*검사정보공유 (비밀, 공유, 기타:)						
(BRCA위험도 예측:)						

2) 가족력

No	성별	나이	가족관계	진단/수술명	진단시 연령
1			본인		
2					
3					
4					
5					
6					
7					
8					
9					

3) 상담일지

선정기준				
상담일	상담내용	내담자 반응 및 계획		
			상담사	
			참여자	
			상담사	
			참여자	
			상담사	
			참여자	
			상담사	
			참여자	

유전상담 No.: 1234   등록번호: 1234567   홍길순 F/46   수정 2021. 1. 15.

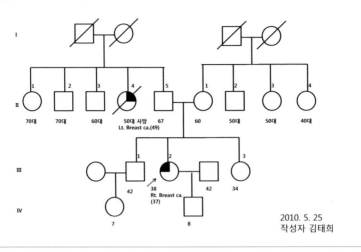

2010. 5. 25
작성자 김태희

가계도 작성과 위험도 측정 예제

1. 가계도 작성하기

- 38세 여자, Rt. Breast cancer 환자(37세에 진단받음). 42세 남편과의 사이에 8세 아들이 있음.
- 부모님은 무병생존 중이며 아버지 67세, 어머니 60세임.
- 42세 오빠와 여조카 1명(7세), 34세 미혼 여동생이 있음.
- 부계; 할머니. 할아버지는 사망(노환)
  고모 2명과 숙부 2명이며 1) 70대 고모 2) 70대 숙부 3) 60대 숙부 4) 고모 (50대 사망) 5) 아버지
  50대 고모는 49세때 좌측 유방암 진단
- 모계; 외숙부1명과 이모 2명이며 1) 어머니 2) 50대 외숙부 3) 50대 이모 4) 40대 이모 모두 무병생존

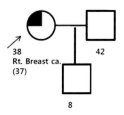

proband와 배우자, 자녀를 친척의 수를 고려하여 적당한 위치에 그린다. 우측 유방암이므로 왼쪽 상단에 검은색으로 표기한다. 가능하면 진단 연령과 병기를 기입하여도 좋다.

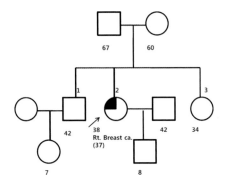

proband의 가족관계를 표시. 아버지, 어머니, 형제자매 위주로 먼저 그린다.

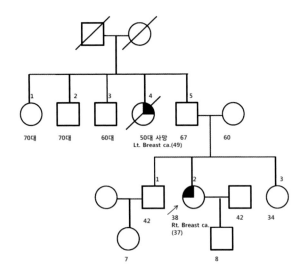

부계 쪽의 친척을 표시. 연령순대로 숫자 1,2,3을 붙인다.
고모가 좌측 유방암에 이환되었으므로 진단 연령과 함께 표기한다.

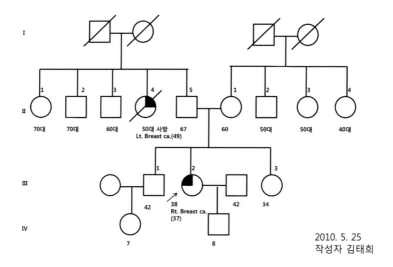

모계 가족을 기록한 후 세대별로 로마숫자를 표기하고 작성날짜와 작성자를
기록한다.

2. 유전자변이 위험도 측정

위험도 측정은 BRCAPRO, Myriad Ⅱ model 등 웹 기반 분석 tool이 있으나 한국
인 유전성 유방암 연구회에서 한국인 유방암 환자들의 데이터를 기반으로 개
발한 코브라 *BRCA* 위험도 예측모델(KOHBRA BRCA risk calculator, KOHCal)을 이
용하여 한국인 유방암 *BRCA* 유전자변이 보유 위험도를 산출해 볼 수 있다. 위
험도 예측이 10% 이상인 경우 유전자검사 대상이 된다.

　　KOHCal은 본인의 첫 번째 유방암 진단 연령, 양측성 유방암 여부, 난소암
동반 여부, 삼중음성 유방암 여부와 유방암 또는 난소암 발생의 가족력을 이
용한 한국인 *BRCA* risk calculator이다. 이를 이용해 한국인 유방암 환자에서
BRCA 유전자검사의 적응이 되는 유전성 유방암 고위험군을 선별하여 유전자
변이 보인자의 발견율을 높이고 불필요한 검사 비용을 줄일 수 있게 된다. 또
한 수치화된 유전자변이 가능성을 제시하여 이해도를 높임으로써 환자의 유
전자검사에 대한 순응도를 높이는 효과를 기대할 수 있다.

한국인 유전성 유방암 연구 http://www.kohbra.kr/

BRCA 위험도 예측모델

코브라 BRCA 위험도 예측모델
(KOHBRA BRCA risk calculator, KOHCal)

본 예측모델은 한국인 유방암 환자의 유전성 유방암 유전자 (BRCA) 변이 위험도를 평가하기 위해 개발되었습니다.

본 모델에서 산출된 BRCA 유전자변이 확률은 유전자 검사를 대체할 수 없으며, 유전상담이 필요한 유전성 유방암 고위험군 선별에 이용됩니다.

BRCA 변이 위험도 산출을 위해 각 질문마다 해당하는 항목에 체크하세요.

가족 중 유방암 또는 난소암 환자가 있습니까?　　　◯ 있습니다.　　◯ 없습니다

코브라 유병률　　　　　　　　　-

로지스틱모델 예측위험도　　　　　　-

다시하기

※ 코브라 유병률
한국인 유전성유방암 연구에 등록되어 BRCA 유전자 검사를 받은 환자에서 실제 관찰된 BRCA 유전자 변이 유병률(해당 그룹 내 보인자 수/환자 수)

※ 로지스틱모델 예측위험도
BRCA 유전자변이 위험인자에 대한 로지스틱 회귀분석을 통해 도출된 함수를 이용하여 예측된 BRCA 유전자변이 유병률

V

참고문헌

1. American Cancer Society (2006). http://www.cancer.org/downloads/STT/CAFF-2006PWSecured.pdf, accessed 9/30/06

2. Annual Report of cancer incidence (2007), cancer prevalence (2007) and survival (1993-2007) in Korea. In: Ministry for Health WaFA, editor. 2009.

3. 2009년 사망원인통계결과. 통계청

4. Hall JM, Lee MK, Newman B, Morrow JE, Anderson LA, Huey B, et al. Linkage to early-onset familial breast cancer to chromosome 17q21. Science. 1990;250 (4988):1684-9.

5. Wooster R, Neuhausen SL, Mangion J, Quirk Y, Ford D, Collins N, et al. Localization of a breast cancer susceptibility gene, *BRCA2*, to chromosome 13q12-13. Science. 1994;265(5181):2088-90.

6. Miki Y, Swensen J, Shattuck-Eidens D, Futreal PA, Harshman K, Tavtigian S, et al. A strong candidate for the breast and ovarian cancer susceptibility gene BRCA1. Science. 1994;266(5182):66-71.

7. Wooster R, Bignell G, Lancaste, J, Swift S, Seal S, Mangion J, et al. Identification of the breast cancer susceptibility gene BRCA2. Nature. 1995;378:789-92.

8. Pal T, Permuth-Wey J, Betts JA, Krischer JP, Fiorica J, Arango H, et al. *BRCA1* and *BRCA2* mutations account for a large proportion of ovarian carcinoma cases. Cancer. 2005;104(12):2807-16.

9. BH Son, SH Ahn, MH Lee, SK Park, SW Kim, Korean Breast Cancer Society. Hereditary Breast Cancer in Korea: A Review of the Literature. J Breast Cancer 2008; 11(1):1-9.

10. 암정복추진연구개발사업 최종연구개발결과 보고서(0720450) 한국인 유전성 유방암 연구(Korean Hereditary Breast Cancer Study)

11. Ford D, Easton DF, Bishop DT, Narod, SA, Goldgar DE. Risks of cancer in *BRCA1*-mutation carriers. Breast Cancer Linkage Consortium. Lancet. 1994;343 (8899):692-5.

12. Ford D, Easton DF, Stratton M, Narod S, Goldgar D, Devilee P, et al. Genetic heterogeneity and penetrance analysis of the *BRCA1* and *BRCA2* genes in breast cancer families. The Breast Cancer Linkage Consortium. Am J Hum Genet. 1998;62(3):676-89.

13. Metcalfe KA, Lynch HT, Ghadirian P, Tung N, Olivotto IA, Foulkes WD, et al. The risk of ovarian cancer after breast cancer in *BRCA1* and *BRCA2* carriers. Gynecologic Oncology. 2005;96(1):222-6.

14. Metcalfe K, Lynch HT, Ghadirian P, Tung N, Olivotto I, Warner E, et al. Contralateral breast cancer in *BRCA1* and *BRCA2* mutation carriers. J Clin Oncol. 2004;22(12):2328-35.

15. SA Han, SK Park, SH Ahn, BH Son, MH Lee, DH Choi, DY Noh, WS Han, ES Lee et al. Breast and Ovarian Cancer Risks in Korea Due to Inherited Mutations in

유전성 유방암 유전상담 매뉴얼

BRCA1 and *BRCA2*: A Preliminary Report. J Breast Cancer. 2009;12(2):92-9.

16. Brose MS, Rebbeck TR, Calzone KA, Stopfer JE, Nathanson KL, Weber BL. Cancer risk estimates for BRCA1 mutation carriers identified in a risk evaluation program. J Natl Cancer Inst. 2002;94(18):1365-72.

17. Breast Cancer Linkage Consortium. Cancer risks in *BRCA2* mutation carriers. J Natl Cancer Inst. 1999;91(15):1310-6.

18. Eng C, Hampel H, A de la Chapelle A. Genetic testing for cancer predisposition. Annu Rev Med. 2001;52:371-400.

19. GeneTests (2006). http://www.genetests.org, accessed 2-16-06.

20. National Cancer Institute (2006b). Genetics of Breast and Ovarian Cancer PDQ®-Health Professional Version. Accessed at http://www.cancer.gov/cancertopics/pdq/genetics/breast-and-ovarian/HealthProfessional/page1 on 3 January.

21. Trepanier A, Ahrens M, McKinnon W, Peters J, Stopfer J, Grumet SC et al. Genetic cancer risk assessment and counseling: recommendations of the national society of genetic counselors. J Genet Couns. 2004;13(2):83-114.

22. National Comprehensive Cancer Network(NCCN). Clinical Practice Guidelines in Oncology. Genetic/Familial High Risk Assessment: Breast and Ovarian. Ver 2010.

23. Bluman LG, Rimer BK, Berry DA, Borstelmann N, Iglehart JD, Regan K, Schildkraut J, Winer EP. Attitudes, knowledge, and risk perceptions of women with breast and/or ovarian cancer considering testing for *BRCA1* and *BRCA2*. J Clin Oncol. 1999;17(3):1040-6.

24. Weitzel JN, Lagos VI, Cullinane CA, Gambol PJ, Culver JO, Blazer KR, et al. Limited family structure and BRCA gene mutation status in single cases of breast cancer. JAMA. 2007;297(23):2587-95.

25. Love RR, Evans AM, Josten DM. The accuracy of patient reports of a family history of cancer. J Chronic Dis. 1985;38(4):289-93.

26. Theis B, Boyd N, Lockwood G, Tritchler D. Accuracy of family cancer history in breast cancer patients. Eur J Cancer Prev. 1994;3(4):321-7.

27. Parent ME, Ghadirian P, Lacroix A, Perret C. The reliability of recollections of family history: Implications for the medical provider. J Cancer Educ. 1997;12(2):114-20.

28. Douglas FS, O'Dair LC, Robinson M, Evans DG, Lynch SA. The accuracy of diagnoses as reported in families with cancer: A retrospective study. J Med Genet. 1999;36(4):309-12.

29. Ziogas A, Anton-Culver H. Validation of family history data in cancer family registries. Am J Prev Med. 2003;24(2):190-8.

30. Couch FJ, DeShano ML, Blackwood MA, Calzone K, Stopfer J, Campeau L, et al. BRCA1 mutations in women attending clinics that evaluate the risk of breast cancer. N Engl J Med. 1997;36(20):1409-15.

31. Frank TS, Deffenbaugh AM, Reid JE, Hulick M, Ward BE, Lingenfelter B, et al. Clinical characteristics of individuals with germline mutations in *BRCA1* and *BRCA2*: Analysis of 10,000 individuals. J Clin Oncol. 2002;20(6):1480-90.

32. Berry DA, Parmigiani G, Sanchez J, Schildkraut J, Winer E. Probability of carrying a mutation of breast-ovarian cancer gene BRCA1 based on family history. J Natl Cancer Inst. 1997;89(3):227-38.

33. Euhus D. Understanding mathematical models for breast cancer risk assessment and counseling. Breast J. 2001;7(4):224-32.

34. Parmigiani G, Berry D, Aguilar O. Determining carrier probabilities for breast-cancer suspectibility genes *BRCA1* and *BRCA2*. Am J Hum Genet. 1998;62(1):145-58.

35. Evans DGR, Eccles DM, Rahman N, Young K, Bulman M, Amir E, et al. A new scoring system for the chances of identifying a *BRCA1/2* mutation outperforms existing models including BRCAPRO. J Med Genet. 2004;41:474-80.

36. Evans DGR, Lalloo F, Wallace A, & Rahman N. Update on the Manchester scoring system for BRCA1 and BRCA2 testing. J Med Genet. 2005;42(7):e39.

37. Barcenas CH, Hosain GM, Arun B, Zong J, Zhou X, Chen J, et al. Assessing BRCA carrier probabilities in extended families. J Clin Oncol. 2006;24(3):354-60.

38. Fine B. (1999). Genetic susceptibility to breast and ovarian cancer: Assessment, counseling, and testing guidelines. Appendix IV: Psychological impact of mutation testing. http://www.health. state.ny.us/nysdoh/cancer/obcancer/contents. htm.

39. Berry DA, Iversen ES. Jr., Gudbjartsson DF, Hiller EH, Garber JE, Peshkin BN, et al. BRCAPRO validation, sensitivity of genetic testing of *BCRA1/BCRA2*, and prevalence of other breast susceptibility genes. J Clin Oncol. 2002;20(11):2701-12.

40. Walsh T, Casadei S, Coats KH, Swisher E, Stray SM, Higgins J, et al. Spectrum of mutations in *BRCA1*, *BRCA2*, *CHEK2*, and *TP53* in families at high risk of breast cancer. JAMA. 2006;295(12):1379-88.

41. Baumiller RC, Cunningham G, Fisher N, Fox L, Henderson M, Lebel R, et al. Code of ethical principles for genetics professionals: An explication. Am J Med Genet. 1996;65(3):179-83.

42. American Society of Clinical Oncology. American Society of Clinical Oncology policy statement update: Genetic testing for cancer susceptibility. J Clin Oncol. 2003;21:2397-406.

43. Hall MA, Rich SS. Laws restricting health insurers' use of genetic information: Impact on genetic discrimination. Am J Hum Genet. 2000;66:293-307.

44. Hartmann LC, Sellers TA, Schaid D, Frank T, Soderberg C, Sitta D, et al. Efficacy of bilateral prophylactic mastectomy in *BRCA1* and *BRCA2* gene mutation carriers. J Natl Cancer Inst. 2001;93:1633-7.

45. Kriege M, Brekelmans CT, Boetes C, Besnard PE, Zonderland HM, Obdeijn IM, et al. Efficacy of MRI and mammography for breast-cancer screening in women with a familial or genetic predisposition. N Engl J Med. 2004;351(5):427-37.

46. Robson M. Breast cancer surveillance in women with hereditary risk due to BRCA1 or BRCA2 mutations. Clin Breast Cancer. 2004;5(4):260-8.

47. Warner E, Plewes DB, Hill KA, Causer PA, Zubovits JT, Jong RA, et al. Surveillance of BRCA1 and BRCA2 mutation carriers with magnetic resonance imaging, ultrasound, mammography, and clinical breast examination. JAMA. 2004; 292(11):1317-25.

48. Fisher B, Costantino JP, Wickerham DL, Redmond CK, Kavanah M, Cronin WM, et al. Tamoxifen for prevention of breast cancer: Report of the National Surgical Adjuvant Breast and Bowel Project P-1 Study. J Natl Cancer Inst. 1998;90(18): 1371-88.

49. King MC, Wieand S, Hale K, Lee M, Walsh T, Owens K, et al. Tamoxifen and breast cancer incidence among women with inherited mutations in BRCA1 and BRCA2: NationalSurgical Adjuvant Breast and Bowel Project (NSABP-P1) Breast Cancer Prevention Trial. JAMA. 2001;286(18):2251-6.

50. Narod SA, Brunet JS, Ghadirian P, Robson M, Heimdal K, Neuhausen SL, et al. Tamoxifen and risk of contralateral breast cancer in BRCA1 and BRCA2 mutation carriers: A case-control study. Hereditary Breast Cancer Clinical Study Group. Lancet. 2000;356(9245):1876-81.

51. Gronwald J, Tung N, Foulkes WD, Offit K, Gershoni R, Daly M, et al. Tamoxifen and contralateral breast cancer in BRCA1 and BRCA2 carriers: An update. Int J Cancer. 2006;118(9):2281-84.

52. Finch A, Beiner M, Lubinski J, Lynch HT, Moller P, Rosen B, et al. Salpingo-oophorectomy and the risk of ovarian, fallopian tube, and peritoneal cancers in women with a BRCA1 or BRCA2 mutation. JAMA. 2006;296(2):185-92.

53. Antoniou AC, Pharoah PD, Narod S, Risch HA, Eyfjord JE, Hopper JL, et al. Breast and ovarian cancer risks to carriers of the BRCA1 5382insC and 185delAG and BRCA2 6174delT mutations: A combined analysis of 22 population based studies. J Med Genet. 2005;42(7):602-3.

54. Domchek SM, Friebel TM, Neuhausen SL, Wagner T, Evans G, Isaacs C, et al. Mortality after bilateral salpingo-oophorectomy in BRCA1 and BRCA2 mutation carriers: prospective cohort study. Lancet Oncol. 2006;7(3):223-9.

55. Powell CB, Kenley E, Chen LM, Crawford B, McLennan J, Zaloudek C, et al. Risk-reducing salpingo-oophorectomy in BRCA mutation carriers: Role of serial sectioning in the detection of occult malignancy. J Clin Oncol. 2005;23(1):127-32.

56. Whittemore AS, Balise RR, Pharoah PD, Dicioccio RA, Oakley-Girvan I, Ramus SJ, et al. Oral contraceptive use and ovarian cancer risk among carriers of BRCA1 or BRCA2 mutations. Br J Cancer. 2004;91(11):1911-5.

57. Haile RW, Thomas DC, McGuire V, Felberg A, John EM, Milne RL, et al. *BRCA1* and BRCA2 mutation carriers, oral contraceptive use, and breast cancer before age 50. Cancer Epidemiol Biomarkers Prev. 2006;15(10):1863-70.

58. Giordano SH. A review of the diagnosis and management of male breast cancer. Oncologist. 2005;10:471-9.

59. Daly MB, Axilbund JE, Bryant E, Buys S, Eng C, Friedman S, et al. (2006). Genetic/familial high risk assessment: Breast and ovarian, in Practice guidelines in oncology, NationalComprehensive Cancer Network (NCCN), Version 1. http:// www.nccn.org/ professionals/physician_gls/PDF/genetics_screening.pdf.

60. Kauff ND, Mitra N, Robson, ME, Hurley KE, Chuai S, Goldfrank D, et al. Risk of ovarian cancer in *BRCA1* and *BRCA2* mutation-negative hereditary breast cancer families. J Natl Cancer Inst. 2005;97(18):1382-4.

61. Hartmann LC, Schaid DJ, Woods JE, Crotty TP, Myers JL, Arnold PG, et al. Efficacy of bilateral prophylactic mastectomy in women with a family history of breast cancer. N Engl J Med. 1999;340(2):77-84.

62. Rebbeck TR, Kauff ND, Domchek SM. Meta-analysis of risk reduction estimates associated with risk-reducing salpingo-oophorectomy in *BRCA1* or *BRCA2* mutation carriers. J Natl Cancer Inst. 2009;101(2):80-7.

63. Eisen A, Lubinski J, Klijn J, Moller P, Lynch HT, Offit K, et al. Breast cancer risk following bilateral oophorectomy in *BRCA1* and *BRCA2* mutation carriers: an international case-control study. J Clin Oncol. 2005;23(30):7491-6.

64. Kauff ND, Domchek SM, Friebel TM, Robson ME, Lee J, Garber JE, et al. Risk-reducing salpingo-oophorectomy for the prevention of *BRCA1-* and *BRCA2*-associated breast and gynecologic cancer: a multicenter, prospective study. J Clin Oncol. 2008;26(8):1331-7.

65. Eisen A, Lubinski J, Gronwald J, Moller P, Lynch HT, Klijn J, et al. Hormone thera-py and the risk of breast cancer in *BRCA1* mutation carriers. J Natl Cancer Inst. 2008;100(19):1361-7.

66. Nussbaum, Mclnnes, Willard, Genetics in medicine. 7th edition.

67. Dorian JP, Bruce RK. Medical genetics at a glance. 2nd edition.

68. Bonnie SL. Patricia MV. Dianne MB. Genetic counseling practice, advanced concepts and skills. Willey-Blackwell. 2010.

69. The Korean Breast Cancer Society. The Breast. 2nd edition.

70. Rennert G, Bisland-Naggan S, Barnett-Griness O, et al. Clinical outcomes of breast cancer in carriers of *BRCA1* and *BRCA2* mutations. N Engl J Med. 2007; 357:115-23.

71. Sagi M, Weinberg N, Eilat A, et al. Preimplantation genetic diagnosis for *BRCA1/2*--a novel clinical experience. Prenat Diagn. 2009;29:508-13.

72. Rijnsburger AJ, Obdeijn IM, Kaas R, et al. *BRCA1*-associated breast cancers

present differently from *BRCA2*-associated and familial cases: long-term follow-up of the Dutch MRISC Screening Study. J Clin Oncol 2010;28:5265-73.

73. Fadda M, Chappuis PO, Katapodi MC, et al. Physicians communicating with women at genetic risk of breast and ovarian cancer: Are we in the middle of the ford between contradictory messages and unshared decision making? PLoS One. 2020;15:e0240054.

74. 국립암센터 국가암관리사업 2018년 국가암등록통계.

75. 2019 제8차 한국유방암 진료권고안, 제4장 유전성 유방암.

76. https://www.ncbi.nlm.nih.gov/books/NBK1247/

77. Richards S, Aziz N, Bale S, et al. 2015 ACMG standards and guidelines Standards and guidelines for the interpretation of sequence variants: a joint consensus recommendation of the American College of Medical Genetics and Genomics and the Association for Molecular Pathology. Genet Med. 2015;17:405-24.

78. Kang E, Seong MW, Park SK, et al. The prevalence and spectrum of *BRCA1* and *BRCA2* mutations in Korean population: recent update of the Korean Hereditary Breast Cancer (KOHBRA) study. Breast Cancer Res Treat. 2015;151:157-68.

79. Kuchenbaecker KB, Hopper JL, Barnes DR, et al. Risks of Breast, Ovarian, and Contralateral Breast Cancer for *BRCA1* and *BRCA2* Mutation Carriers. JAMA 2017;317:2402-16.

80. Mavaddat N, Peock S, Frost D, et al. Cancer risks for *BRCA1* and *BRCA2* mutation carriers: results from prospective analysis of EMBRACE. J Natl Cancer Inst. 2013;105:812-22.

81. Robson ME, Bradbury AR, Arun B, et al. American Society of Clinical Oncology Policy Statement Update: Genetic and Genomic Testing for Cancer Susceptibility. J Clin Oncol. 2015;33:3660-7.

82. NCCN guidelines Version 1.2020 p.25-6.

83. Iodice S, Barile M, Rotmensz N, et al. Oral contraceptive use and breast or ovarian cancer risk in *BRCA1/2* carriers: a meta-analysis. Eur J Cancer. 2010;46:2275-84.

84. Li X, You R, Wang X, et al. Effectiveness of Prophylactic Surgeries in *BRCA1* or *BRCA2* Mutation Carriers: A Meta-analysis and Systematic Review. Clin Cancer Res. 2016;22:3971-81.

85. Finch APM, Lubinski J, Møller P, et al. Impact of oophorectomy on cancer incidence and mortality in women with a *BRCA1* or *BRCA2* mutation. J Clin Oncol. 2014;32:1547-53.

86. Evans DGR, Susnerwala I, Dawson J, et al. Risk of breast cancer in male *BRCA2* carriers. J Med Genet. 2010;47:710-1.

87. Tai YC, Domchek S, Parmigiani G, et al. Breast cancer risk among male *BRCA1* and *BRCA2* mutation carriers. J Natl Cancer Inst. 2007;99:1811-4.

88. Moran A, O'Hara C, Khan S, et al. Risk of cancer other than breast or ovarian in individuals with *BRCA1* and *BRCA2* mutation. Fam Cancer. 2012;11:235-42.

89. Balmaña J, Diez O, Rubio I, et al. ESMO Guidelines Working Group. *BRCA* in breast cancer: ESMO Clinical Practice Guidelines. Ann Oncol. 2010;21 Suppl 5:v20-2.

90. Robson ME, Storm CD, Weitzel J, et al. American Society of Clinical Oncology policy statement update: genetic and genomic testing for cancer susceptibility. J Clin Oncol. 2010;28:893-901.

91. Kang E, Kim KS, Choi DH, et al. Communication with family members about positive *BRCA1/2* genetic test results in Korean Hereditary Breast Cancer Familes. J Genet Med. 2011;8:105-12.

92. Domchek SM, Friebel TM, Singer CF, et al. Association of risk-reducing surgery in *BRCA1* or *BRCA2* mutation carriers with cancer risk and mortality. JAMA. 2010;304:967-75.

93. Friedman LS, Gayther SA, Kurosaki T, et al. Mutation analysis of *BRCA1* and *BRCA2* in a male breast cancer population. Am J Hum Genet. 1997;60:313-9.

94. Basham VM, Lipscombe JM, Ward JM. *BRCA1* and *BRCA2* mutations in a population-based study of male breast cancer. Breast Cancer Res. 2002;4:R2.

95. Thorlacius S, Sigurdsson S, Bjarnadottir H, et al. Study of a single *BRCA2* mutation with high carrier frequency in a small population. Am J Hum Genet. 1997;60:1079-84.

96. Haraldsson K, Loman N, Zhang QX, et al. *BRCA2* germ-line mutations are frequent in male breast cancer patients without a family history of the disease. Cancer Res. 1998;58:1367-71.

97. Liede A, Karlan BY, Narod SA. Cancer risks for male carriers of germline mutations in *BRCA1* or *BRCA2*: a review of the literature. J Clin Oncol. 2004;22:735-42.

98. Struewing JP, Hartge P, Wacholder S, et al. The risk of cancer associated with specific mutations of *BRCA1* and *BRCA2* among Ashkenazi Jews. N Engl J Med. 1997;336:1401-8.

99. Zegers-Hochschild F, Adamson GD, Dyer S, et al. The International Glossary on Infertility and Fertility Care, 2017. Fertil Steril. 2017;108:393-406.

100. Breast Cancer Association Consortium, Dorling L, Carvalho S, et al. Breast Cancer Risk Genes - Association Analysis in More than 113,000 Women. N Engl J Med. 2021;384:428-39.

101. Burke W, Daly M, Garber J, et al. Recommendations for follow-up care of individuals with an inherited predisposition to cancer. II. *BRCA1* and *BRCA2*. Cancer Genetics Studies Consortium. JAMA. 1997;277:997-1003.

102. Scheuer L, Kauff N, Robson M, et al. Outcome of preventive surgery and

screening for breast and ovarian cancer in *BRCA* mutation carriers. J Clin Oncol. 2002;20:1260-8.

103. Saslow D, Boetes C, Burke W, American Cancer Society Breast Cancer Advisory Group. et al. American Cancer Society guidelines for breast screening with MRI as an adjunct to mammography. CA Cancer J Clin. 2007;57:75-89.

104. Woodward ER, Sleightholme HV, Considine AM, et al. Annual surveillance by *CA125* and transvaginal ultrasound for ovarian cancer in both high-risk and population risk women is ineffective. BJOG. 2007;114:1500-9.

105. Bermejo-Pérez MJ, Márquez-Calderón S, Llanos-Méndez A. Effectiveness of preventive interventions in *BRCA1/2* gene mutation carriers: a systematic review. Int J Cancer. 2007;121:225-31.

106. Narod SA, Dubé MP, Klijn J, et al. Oral contraceptives and the risk of breast cancer in *BRCA1* and *BRCA2* mutation carriers. J Natl Cancer Inst. 2002;94:1773-9.

107. Chlebowsk RT, Rohan TE, Manson JE, et al. Breast Cancer After Use of Estrogen Plus Progestin and Estrogen Alone: Analyses of Data From 2 Women's Health Initiative Randomized Clinical Trials. JAMA Oncol. 2015;1:296-305.

108. McLaughlin JR, Risch HA, Lubinski J, et al. Reproductive risk factors for ovarian cancer in carriers of *BRCA1* or *BRCA2* mutations: a case-control study. Lancet Oncol. 2007;8:26-34.

109. Robson M. Multigene panel testing: planning the next generation of research studies in clinical cancer genetics. J Clin Oncol. 2014;32:1987-9.

110. Domchek SM, Bradbury A, Garber JE, et al. Multiplex genetic testing for cancer susceptibility: out on the high wire without a net? J Clin Oncol. 2013;31:1267-70.

111. Thompson ER, Rowley SM, Li N, et al. Panel Testing for Familial Breast Cancer: Calibrating the Tension Between Research and Clinical Care. J Clin Oncol. 2016;34:1455-9.

112. Kim H, Cho DY, Choi DH, et al. Frequency of pathogenic germline mutation in *CHEK2*, *PALB2*, *MRE11*, and *RAD50* in patients at high risk for hereditary breast cancer. Breast Cancer Res Treat. 2017;161:95-102.

113. Park JS, Lee ST, Nam EJ, et al. Variants of cancer susceptibility genes in Korean *BRCA1/2* mutation-negative patients with high risk for hereditary breast cancer. BMC Cancer. 2018;18:83.

114. Institute of Medicine (US) Committee on Assessing Genetic Risks; Andrews LB, Fullarton JE, Holtzman NA, et al., editors. Assessing Genetic Risk: Implication for Health and Social Policy. Washington (DC): National Academies Press (US). 1994.

본 자료의 추가 정보와 동영상은 한국인 유전성 유방암 연구 홈페이지인 www.kohbra.kr로 방문하여
확인할 수 있습니다.